Elke
Mulher Maravilha

Chico Felitti

Elke
Mulher Maravilha

todavia

Apresentação 7

Introdução 11

De 1945 a 1948 13
1949 19
De 1958 a 1962 25
1962 e 1963 28
1965 33
De 1967 a 1969 39
1969 42
De 1970 a 1972 46
1972 50
1972 61
1972 71
1973 76
1975 e 1976 81
1978 87
1979 91
Pausa 96
1979 102
1980 105
1987 107
De 1982 a 1988 111

1984 **122**
De 1988 a 1993 **124**
De 1989 a 1993 **137**
Pausa **141**
1993 **145**
1993 **148**
1993 **152**
De 1994 a 2007 **157**
De 2007 a 2016 **168**
2016 **172**
2017 **176**
2018 e 2019 **178**

Epílogo **183**

Índice remissivo **184**
Créditos das imagens **197**

Apresentação

Este é um livro adolescente, que poderia estar se preparando para sua festa de debutante. A ideia de traçar um perfil biográfico de Elke Maravilha nasceu em 2006, quando eu cursava o penúltimo ano da faculdade de jornalismo.

Aos vinte anos e sem pedir orientação para nenhum professor, decidi que ia escrever a biografia mais completa daquela mulher poliglota, pagã e, na época, em plena decadência profissional. Consegui o número de telefone do apartamento de Elke no Leme e liguei pedindo uma entrevista, que não seria publicada em lugar nenhum. Ela atendeu e disse: "É claro, criança". A partir desse momento, passamos a nos reunir nas poucas vezes que ela vinha a São Paulo. Os encontros eram marcados em padarias e botecos do Centro ou da região da avenida Paulista, a depender de onde se localizava a casa do amigo que a hospedava no momento.

Seu café da manhã na maioria das vezes era líquido e amargo: um copo americano de cachaça acompanhado de cerveja batizada com Campari, caso ela estivesse com sede. Um encontro com Elke nunca se resumia a um encontro com Elke. Era um revezamento de alunos, curiosos e famosos que encostavam na mesa, papeavam e iam embora. Era como se ela vivesse no set de *A Praça é Nossa* e fosse a dona do banco. Elke recebia todos como se a mesa do boteco fosse a bancada dos programas de calouros dos quais ela participou durante décadas. E, assim como fazia na TV, preferia contar causos a julgar quem estava do outro lado do balcão.

Tivemos meia dúzia e meia de encontros. O projeto de TCC não vingou, quando enfim cheguei ao último ano de faculdade. Um dos professores designados para orientar o livro me disse: "Ninguém vai se interessar pela história dessa palhaça televisiva. Você pode fazer coisa melhor".

Em outro encontro, ouvi que Elke era "um personagem trash", indigno de um ensaio biográfico. Desisti do projeto e as entrevistas ficaram afônicas em fitas cassete por quase dez anos. Até que a vida de Elke chegou ao fim em 16 de agosto de 2016. Escrevi um obituário que saiu na capa do caderno de cultura da *Folha de S.Paulo*, no qual eu narrava como Elke havia driblado os biógrafos, por ser mais esperta que todos nós somados.

Dois anos mais tarde, em 2018, a editora Mariana Rolier me procurou. Disse que tinha lido o obituário e perguntou se eu não estava interessado em reavivar a voz dos encontros com Elke e ornamentá-los com entrevistas de quem a conhecera melhor, para criar uma série biográfica sonora para a Storytel, plataforma sueca de audiolivros que aportaria no Brasil logo depois. Aceitei. Seguiram-se meses de viagens pelo Brasil, da cidade mineira de Brumadinho a Porto Alegre, passando por um apartamento com vista para a Galeria do Rock, onde mora um dos melhores amigos de Elke.

No Rio de Janeiro, Zezé Motta se emocionou ao lembrar de sua amizade com Elke, quando as duas estavam entre as maiores estrelas em ascensão no país, por mais que interpretassem personagens antagônicos no cinema: uma escrava e uma madame racista e cruel. Num convento de São João del-Rei, ouvi da boca de uma freira que Elke tinha o hábito de jogar maços de dinheiro no colo de amigos que estivessem passando por dificuldades, pois queria ajudá-los, mas se recusava a tocar no assunto.

Em Bragança Paulista, no interior de São Paulo, nos arquivos de uma escola pública, descobri que Elke tinha criado um mito de origem para si mesma. Ela havia passado a vida toda afirmando que nascera numa São Petersburgo lanhada pela Segunda Guerra, em fevereiro de 1945. Mas a certidão original de nascimento não só estava em alemão, como registrava que Elke Grünupp havia nascido em Leutkirch, uma cidade quase na fronteira com a Áustria. Após alguma resistência, um dos irmãos confirmou: Elke era alemã, mas preferia se pintar como russa porque era uma história de vida mais *interessante*.

Interessante é um adjetivo essencial para entender o "fenômeno Elke". Seu visual era interessante. Suas histórias eram interessantes. Suas oito línguas eram interessantes. Seu conhecimento de astrologia e mitologia era interessante. O guarda-roupa que ela mesma criava em sua cabeça, e instruía jovens estilistas a trazer à vida, é muito interessante.

Se quinze anos atrás um professor me disse que a biografia de Elke não interessaria a ninguém, este livro é a tentativa de mostrar o contrário: que Elke Grünupp foi uma artista cuja plataforma era o inconsciente de um país; que sua memória vive nas botas de Pabllo Vittar, nos vestidos de Alexandre Herchcovitch e na memória de milhões de crianças viadas como eu. Mas não só isso.

Elke vive na lembrança de um país. Viveu na audiossérie *Mulher Maravilha*, publicada pela Storytel em 2020, e agora vive neste livro, uma versão adaptada do roteiro da série.

E, ao professor que quinze anos atrás disse que ninguém se interessaria por uma biografia de Elke Maravilha, desejo uma boa aposentadoria.

São Paulo, julho de 2021

Introdução

A rua Elke Maravilha fica em Santa Cruz, o bairro carioca mais distante do Centro do Rio de Janeiro. É uma viela de 170 metros de extensão, que se chamava rua D até o dia 23 de outubro de 2017, quando a mudança de nome foi oficializada no *Diário Oficial do Município do Rio de Janeiro*. Há pouca coisa na rua Elke Maravilha: terrenos baldios e algumas casas em construção.

Esse trecho de Santa Cruz, a cerca de cinquenta quilômetros do Leme, onde Elke passou a maior parte de sua vida, fica espremido entre a avenida Brasil, que circunda o Rio, e a avenida Padre Guilherme Decaminada. Os quarteirões quase desertos são um depósito de homenagens: vizinhas da rua Elke Maravilha estão a rua Domingos Montagner (o palhaço e ator da Globo que morreu afogado em setembro de 2016), a rua Kid Vinil (o cantor e jornalista que morreu em 2017) e a rua Orival Pessini (o criador do personagem infantil Fofão).

Ninguém na padaria Gêmeos sabe que ali do lado há uma rua Elke Maravilha. Se já houve uma placa com o nome, ela não estava mais lá quando comecei a dar forma a este livro. Porém o rosto das pessoas que estão na rua se ilumina quando ouvem a pergunta: "Mas você conhecia a Elke Maravilha?".

"É a moça do Chacrinha?", pergunta a balconista Ruth Carmen.

"É aquela loira gringa, linda, coisa de cinema, né?", arrisca o pedreiro Manoel Sá.

"É aquela louca que inventava moda e gritava que nem uma maritaca", responde a vendedora de Yakult Célia Maria.

Todas as respostas estão corretas. E muitas outras também estariam. Elke se chamou Elke Grünupp, Melissa Vassiliki, Elke Evremidis e apenas Elke antes de ser conhecida como Elke Maravilha. Foi professora de francês aos catorze anos de idade. Foi miss Glamour Girl. Foi a modelo mais requisitada do país. Foi presa política por seis dias. Foi personalidade televisiva. Foi atriz principal e foi coadjuvante. Foi cantora. Foi poeta. Foi mulher de oito. Foi madrinha de ao menos 8 mil. Foi apátrida. Foi alcoólatra. Foi funcionária de Silvio Santos. Foi uma das maiores antagonistas de Silvio Santos. Foi astróloga amadora. Foi empresária e faliu. Foi secretária trilíngue. Foi rica e foi pobre. Foi uma pessoa trágica, mais que dramática. Foi uma das primeiras mulheres a afirmar em rede nacional de televisão que havia feito um aborto. Depois dois. Depois três. Foi uma pessoa que escolheu viver sob o signo da alegria. Foi uma ermitã nos últimos momentos. Elke Maravilha foi uma das pessoas mais famosas do Brasil.

Mas sua história, com acontecimentos suficientes para encher quatro ou cinco vidas, nunca foi contada por inteiro. Este livro é a vida de uma mulher que você conhece, nem que seja só de vista.

De 1945 a 1948

Um homem alto com uma barba ruiva até o meio do peito, cabelos ralos no topo da cabeça e abundantes perto das orelhas de abano entrou numa casa na cidade de Freiburg, na Alemanha. Abriu os braços. Uma menina loira de quase três anos, que estava no colo da mãe, olhou para o homem e perguntou em alemão: "Quem é você?". O homem respondeu em russo: "Sou eu, seu pai". A criança não entendeu uma letra do que ele disse e abriu o berreiro. Foi assim que Elke Grünupp foi apresentada a seu pai, George Grünupp. Os dois nunca tinham se visto.

George deu um tapa na criança e foi beijar Liezelotte von Sonden, a mulher que amava, com quem não tinha contato havia três anos. Quando Elke viu aquele desconhecido se aproximando de sua mãe, pegou um martelo decorativo, do tamanho de um saca-rolhas, e deu na cabeça dele. Pelo resto da vida, George guardou o martelo e, de vez em quando, tirava-o do bolso e dizia para a filha: "Só pra lembrar que você é uma parricida".

George tinha passado três anos preso num campo de concentração na Sibéria, acusado de ser traidor da pátria russa, e não sabia que tinha uma filha até aquele dia.

Liezelotte von Sonden e George Grünupp haviam se casado cinco anos antes, após uma paixão fulminante. Ela vinha de uma família nobre. Ele, de uma família remediada que tinha fugido da Revolução de 1917, na Rússia. E os dois se cruzaram por um acaso geográfico chamado guerra.

George entrou na batalha no fim de 1939, na Guerra do Inverno. Lutou do lado da Finlândia contra a União Soviética, cujo objetivo era anexar o país nórdico. Por mais que fosse russo, detestava o regime soviético, que havia confiscado todos os bens de sua família. Foi por isso que, aos 23 anos, quando ainda estudava agronomia na faculdade, se juntou às tropas inimigas.

Durante uma batalha, uma granada que George jogou num tanque de guerra explodiu antes da hora. Os estilhaços destroçaram sua perna esquerda. Havia um acordo entre a Finlândia e um centro médico de Freiburg, na fronteira da França com a Alemanha, para tratar os feridos do lado finlandês. No começo de 1940, George foi removido para a cidade alemã.

Enquanto se recuperava, conheceu uma alemã morena, de olhos verdes, filha de uma das famílias mais tradicionais da região. A paixão dos dois, segundo Elke, foi instantânea. "A guerra é uma merda. Mas ela é necessária. A guerra torna todo mundo igual, lembra que não somos nada." Elke dizia que só a guerra poderia ter aproximado seu pai de sua mãe, já que ambos estavam miseráveis naquele momento. "Todo mundo estava comendo sola de sapato, se os dois se juntaram foi porque tinha alguma coisa ali mesmo."

George, depois de curado, não chegou a voltar para o front de batalha. Passou cinco anos vivendo na Alemanha, onde se casou com Liezelotte. Mas, antes do aniversário de primeiro ano de casamento, foi assinado o Tratado de Moscou, que acabou com a guerra entre a União Soviética e a Finlândia. Com o fim da guerra, a aliança que garantia a proteção de George na Alemanha acabou. De imediato, ele se tornou um traidor da pátria russa. Demorou outros três anos até que, em 1944, ele foi descoberto na Alemanha e enviado para um gulag, um campo de trabalhos forçados na Sibéria. Liezelotte estava grávida de três meses quando seu marido foi levado preso.

Uma menina loira veio ao mundo em 22 de fevereiro de 1945. A Segunda Guerra Mundial acabou seis meses depois de seu nascimento. Mas outros conflitos, menores, definiriam o destino de sua família. "Eu sou filha do comunismo e do nazismo. Minha mãe viveu sob a égide de Hitler e meu pai, sob a égide de Stálin. Duas bostas."

Liezelotte usou o nome da criança para fazer uma homenagem a George: chamou a filha de Elke Georgievna, palavra que significa "filha de George" em russo. Já Elke, como a própria dizia: "Elke, pros antigos vikings, é aquele veado enorme. Eu já nasci um viadão. Um viadão viking".

E Elke continuava a história de seu nascimento dizendo que o parto tinha sido em Leningrado, cidade russa que hoje se chama São Petersburgo. Mas isso não é verdade.

A prova está documentada. A certidão de nascimento de Elke, num cartório de Bragança Paulista, nega a história que ela sempre contou. Está lá, no livro 60 do cartório de Registro Civil de Leutkirch: em 22 de fevereiro de 1945, nasceu Elke Grünupp. Em Leutkirch, não em São Petersburgo. Elke era alemã, e não russa como sempre propagandeou, e como o *Jornal Nacional* anunciou no dia de sua morte.

Essa adaptação de um pedaço de sua história é muito importante, já que não é a única. Pelo resto da vida, Elke mudaria sua história de vida em pontos importantes. Sobre como conseguiu um emprego na TV. Sobre como perdeu o direito a ter uma pátria. Eram *causos* que ela contava com orgulho, que repetia centenas de vezes, mas que não tinham acontecido exatamente do jeito que ela narrava. Pessoas de seu círculo íntimo afirmam que ela contava a história da vida que desejava ter tido, não da vida que teve de verdade. Elke criou um personagem para si mesma, e o levou adiante até sua morte. Até mesmo seus maridos não sabiam que ela tinha nascido na Alemanha.

REPÚBLICA DOS ESTADOS UNIDOS DO BRASIL

ESTADO DE SÃO PAULO
COMARCA DA CAPITAL
SÃO PAULO

CARTÓRIO
RUA BENJAMIN CONSTANT N.º 93
- 2.o Andar   FONE 33-5852

N. 85.678/56.-

Eu, *BOLIVAR LACERDA*, tradutor público e intérprete do comércio, juramentado pela Colenda Junta Comercial do Estado de São Paulo, Brasil, traduzo, a seguir, para o vernaculo, um documento redigido em idioma alemão......... que me foi apresentado por pessoa interessada:

o

"CERTIDÃO DE NASCIMENTO:- E-1.-

(Cartorio de Registro Civil de Leutkirch, No. 60/1945).-
ELKE GRÜNUPP, nasceu em Leutkirch, aos 22 (vinte- dois) de Fevereiro de 1945(mil novecentos e quarenta e cinco).-

Pai: Georg Grünupp, estudante de economia estadual, crente em Deus, residente em Bromberg.-

Mãi:- Ilse Lieselotte Grünupp, nascida König, evangélica, residente em Leutkirch.-

Anotações marginais: NIHIL.-

Leutkirch, aos 6 (seis) de Dezembro de 1952(mil novecentos e cinquenta e dois).-

O Oficial do Registro Civil:-

(assinatura ilegivel.) -

(Sineta oficial, respectivo e 1 Estam.)".-
DOU FÉ E FIRMO EM S.PAULO, AOS 23 DE NOVEMBRO DE 1956.SEL c/Cr$4,50.-

Por que Elke passou a vida inteira dizendo que tinha nascido em Leningrado e que era russa? Talvez porque fosse uma história mais interessante. Leningrado era uma das cidades mais castigadas pela guerra na Europa. Seria digno de um romance se uma mulher grávida conseguisse atravessar o continente dizimado procurando pelo homem que amava. Mas a história não fazia sentido. O irmão de Elke, George Grünupp Filho, confirma: "É, ela nasceu na Alemanha".

Mesmo depois de voltar, quando a filha já tinha três anos, George nunca contou para a família tudo o que aconteceu com ele no gulag. Décadas depois, quando a própria Elke foi presa pela ditadura militar, ela perguntou ao pai o que acontecera durante os seis anos que ele passou preso na neve. "Ele às vezes brincava que tinham feito manicure nele, enfiado uns espetinhos embaixo da unha", dizia Elke. Assim que George chegou à Alemanha e encontrou a mulher, os dois decidiram sair da Europa. Aquele seria só mais um recomeço, pois em outros tempos a família Grünupp já havia fugido: trinta anos antes, os pais de George tinham saído da Rússia durante a Revolução de 1917 — em que os bolcheviques tomaram o poder e instauraram o governo socialista soviético. Naquela época, os Grünupp tiveram de fugir porque eram ricos ("Ricos e loucos, do tipo que têm uma dezena de cavalos e só falavam russo com eles", dizia Elke). George nasceu no exílio, quando a família estava em Riga, a capital da Letônia.

Mas os planos de fuga de George e Liezelotte foram frustrados em 1948. Quando cruzavam a fronteira da Alemanha com a França, George foi pego pelo Exército francês, que ordenou que ele fosse mandado de novo para a União Soviética. "Isso teria sido o fim dele. Eu não estaria aqui falando, se não fosse por mim", brincava Elke.

É que a filha de três anos ajudou o pai a fugir da prisão francesa na qual estava em custódia, esperando para ser repatriado.

Liezelotte escondeu uma arma dentro da roupinha da criança quando foi visitar o marido. A mãe foi revistada. Conta a lenda familiar que foi a primeira atuação de Elke: quando o agente estava prestes a encostar na menina, ela estendeu os braços e beijou o rosto do guarda. Enternecido, ele não revistou a criança, que entrou com o revólver. "Eu era uma criança risonha e beijoqueira. Até hoje sou assim", Elke disse em 2009. Armado, o pai conseguiu fugir, com a mulher e a filha. No caminho para o mar, encontrou-se com seus pais, que tinham decidido partir com ele. E a família chegou ao porto de Le Havre, na França. Havia navios levando refugiados para três pontos do novo mundo: Canadá, Nova Zelândia ou Brasil. "Meu pai escolheu o último. Ele sempre disse que o Brasil era o país do futuro."

Os Grünupp fizeram a travessia de duas semanas nos últimos dias de 1948, sabendo que jamais voltariam para a Europa. Ou voltariam como estrangeiros. "Meu pai dizia que, quando a gente pusesse o pé no Brasil, seríamos brasileiros."

Em 3 de janeiro de 1949, Elke Grünupp chegou ao Brasil, ainda que só conseguisse ver o país à distância, quando o tempo não estava nublado.

1949

A menina que chegou com os Grünupp ao Brasil se chamava Ilga. Ao menos é o que consta nos registros oficiais. Na ficha da Polícia Marítima preenchida à máquina de escrever no dia em que a família aportou no novo continente, o nome da filha de quatro anos de George e Liezelotte é Ilga: I-L-G-A, Ilga. O Brasil recebeu Elke com um erro.

A família desceu do navio na Hospedaria da Ilha das Flores em 3 de janeiro de 1949 e viu a terra brasileira, mas só de longe. A ilha ficava a cerca de nove quilômetros da costa do Rio de Janeiro. Os estrangeiros que fugiram para o Rio durante a Segunda Guerra desembarcavam lá e eram proibidos de pisar no país.

A Hospedaria da Ilha das Flores foi fundada quando o Brasil ainda era governado por um rei, em 1883. Por ali passaram italianos, portugueses, espanhóis, alemães, austríacos, russos, poloneses, franceses, ingleses, suecos, suíços, chineses, árabes, letões e judeus. Depois da Segunda Guerra, foram 50 mil refugiados. E Elke era um deles.

Sem falar uma palavra de português, os Grünupp foram recebidos por uma placa de dez metros, que dizia: VOCÊ ERA UM ESTRANHO E O BRASIL O ACOLHEU. A mesma frase era repetida quatro vezes. Em cima, vinha em português. Na segunda linha, estava em alemão. A terceira repetição era em polonês, e a quarta, em russo. Então todos da família puderam entender o que estava escrito ali.

A primeira atividade no país novo foi um exame médico. "Olharam nossa boca, nossas pernas, nossos olhinhos. Pra ter certeza de que éramos animais bem saudáveis, sabe?", descrevia Elke. Os três foram aprovados e não precisaram entrar em quarentena.

George foi alojado num dos três pavilhões para homens adultos, onde dormiam até mil pessoas de uma vez. Elke e Liezelotte foram direcionadas ao único espaço para mulheres e crianças. Nesse período, era comum não haver cama para todos os hóspedes da Ilha das Flores. Liezelotte e Elke dividiam um colchonete no chão. George dormia numa esteira. Em alguns períodos de menor imigração, os mesmos prédios da Ilha das Flores serviram como presídio.

A vida na Ilha das Flores é descrita assim: "No refeitório, com capacidade para receber até 3,5 mil pessoas, eram servidas três refeições por dia. Havia, ainda, uma lavanderia, carpintaria, posto telegráfico e um balcão de empregos".

Pela descrição, pode parecer que o lugar era uma colônia de férias. Mas Elke preferia definir a Ilha das Flores de outro jeito. Ela chamava o lugar de "um campozinho de concentração pra imigrantes na baía da Guanabara".

As hospedarias abrigavam quem não tinha família no Brasil nem um contrato de emprego assinado. A maioria dos estrangeiros ficava algumas semanas lá, até conseguir uma oportunidade de trabalho e poder ir para o Brasil de fato. Os Grünupp permaneceram ali quatro meses.

A única possibilidade de ir da ilha para o continente que surgiu nos cem primeiros dias foi uma quase volta à Rússia. Um grupo de descendentes de russos visitou a Ilha das Flores e convidou George para morar numa vila no sul de Santa Catarina. Ele recusou o convite. "Meu pai queria ser brasileiro, disse que se fosse pra ser europeu tinha ficado na Europa", conta Elke.

Mas, em abril, apareceu um homem de terno de linho branco e chapéu, perguntando, com um sotaque mineiro, onde poderia achar um imigrante russo chamado George Grünupp. O mineiro era Rafael Jacques de Moraes, filho do engenheiro Amynthas Jacques de Moraes.

O dr. Amynthas, como era conhecido, foi um dos primeiros empresários a explorar o minério de ferro no solo de Minas Gerais. Também foi um dos criadores da Acesita, uma das maiores siderúrgicas do mundo até hoje, e, na época, era um dos homens mais ricos do Brasil.

Rafael estava ali porque tinha ficado comovido com um apelo de George. Assim que chegou ao Brasil, o pai de Elke publicou um anúncio pessoal no *Brazil Herald*, jornal em inglês que era lido pela comunidade estrangeira e pela elite. No anúncio, oferecia seus serviços. Dizia que era agrônomo formado e que tinha muita vontade de trabalhar nas terras brasileiras.

O anúncio "emocionou Rafael, que pediu a seu pai que acolhesse uma família no Cubango", descreve o livro *A bênção, meu pai!*, biografia de Amynthas escrita por seu filho Vitor Jacques de Moraes e pela pesquisadora Rosemary Penido de Alvarenga.

Em companhia de Rafael Jacques de Moraes, os Grünupp foram liberados da Ilha das Flores. Embarcaram para o Brasil em 17 de abril de 1949, e essa ficou sendo a data oficial da chegada da família ao país.

Já em terra firme, a família embarcou numa viagem de quatro dias de trem e charrete até o estado que seria seu lar: Minas Gerais. Mais exatamente na chácara Cubango, uma roça a vinte quilômetros de Itabira do Mato Dentro.

Itabira até então era uma cidade de centenas de pessoas que só tinha virado notícia porque um poeta em ascensão havia saído de lá. Seu nome era Carlos Drummond de Andrade, e no futuro ele se encontraria com Elke algumas vezes no Rio de Janeiro.

Mas, com exceção da poesia de Drummond, a região era pouco produtiva. A primeira leva de europeus colonizou esse pedaço de Minas no século XVIII, atrás de um ouro que não estava lá. Mal sabiam que o solo mineiro não tinha ouro, mas era um dos mais ricos em ferro do mundo.

O plano de levar um agrônomo para o Cubango era "promover a cultura da terra, pondo a fazenda pra progredir". Até então, o lugar era usado apenas para a criação de gado leiteiro.

Quando a família chegou, foi recebida por uma casa de dois andares, luz elétrica e um jipe. O livro da vida de Jacques de

Moraes conta que, no primeiro dia da família, houve um incidente. "Dona Liezelotte quase morreu de susto e dor ao estrear a privada. Tomou uma bicada de uma galinha." Como a privada ficara muito tempo sem uso, as aves tinham feito um ninho ali dentro.

Era uma vida de novidades para todos, mas acima de tudo para Elke. Ao ver uma pessoa negra pela primeira vez, a menina chorou. "Meu pai me deu uma surra e disse: 'Você vai ficar na casa dos negros'." A menina ficou aos cuidados da família de uma lavadeira, que morava numa chácara vizinha, por dois dias. "Depois, eu chorei foi pra sair. Queria ficar com eles."

Naquela chácara nasceram dois dos irmãos de Elke. Liezelotte havia viajado grávida de Gregório, que veio ao mundo em julho de 1949. Em 1951 chegou Francisca, a única irmã de Elke. Os filhos de Amynthas eram padrinhos dos filhos de George.

As crianças eram criadas com uma liberdade rara. Elke tinha um cavalo branco chamado Rapaz, que considerava seu melhor amigo. "Eu saía pra cavalgar e voltava dois dias depois." A família criou um porco-espinho e jacarés, recolhidos nos rios da região. Contudo, se a vida ao ar livre tinha um ar selvagem, dentro de casa a cultura imperava. George dava aulas de geografia e história para os filhos, já que não havia escola por perto. E a família fazia um revezamento de línguas. "Na segunda-feira, falávamos alemão; na terça, russo; na quarta, inglês; na quinta, francês; mais o português com todo mundo, e por aí vai", contou Elke.

George trabalhava sete dias por semana, do nascer do sol até a noite. Fez parte da equipe que pesquisou alternativas para acabar com carrapatos e desenvolveu uma farinha alimentícia para lutar contra a má nutrição na região. O grupo com o qual ele estava envolvido criou a farinha chamada Somi, feita com 80% de soja e 20% de milho, que depois foi utilizada em todo o estado de Minas.

Depois de dois anos na chácara Cubango, os Jacques de Moraes decidiram dar a George e sua família outra fazenda, maior, onde ele plantou laranja, feijão e soja.

Mas o trato não funcionou a longo prazo, revela a biografia do dono das terras. "A fazenda progrediu, mas Amynthas não via lucros, só despesas."

Em 1960, a família decidiu se mudar para o interior de São Paulo.

Seis anos depois, a Hospedaria da Ilha das Flores fechou, e o território foi transferido para a Marinha. Em 2018, a Ilha das Flores só é ilha no nome. O mar que a dividia da cidade de São Gonçalo foi aterrado e virou a rodovia BR-101. A Ilha das Flores se transformou num museu, no qual Elke foi convidada de honra em pelo menos dois eventos.

A chácara Cubango, em que uma criança chamada Elke dava pinotes de três dias em seu cavalo, estava à venda em 2019 por 165 mil reais. A propriedade tem quinze hectares, pastagem com capacidade para vinte bois, duas nascentes e um ribeirão. E guarda também a história de uma família que saiu de lá para rodar o Brasil.

De 1958 a 1962

A primeira roupa com que Elke desfilou era um vestido de renda branca com três babados na saia, cintura alta e um véu. Era sua roupa de crisma, com a qual ela passeou uma tarde inteira pelas ruas de Atibaia, no interior de São Paulo. Os Grünupp batizaram e crismaram seus filhos na Igreja católica, por mais que o pai fosse ateu e a mãe fosse luterana não praticante. "Mas era só por causa do costume do país naquela época. Dentro de casa, não tínhamos religião", diz Francisca Grünupp, irmã de Elke.

Na foto em que está vestindo a roupa, desenhada pela avó, Elke carrega três lírios brancos. A família que saíra do interior de Minas Gerais tinha chegado havia pouco tempo na cidade do interior de São Paulo. Mas, entre um lugar e outro, Elke tivera uma experiência cosmopolita.

A menina se separou da família por quase um ano, no meio da mudança. Os avós paternos, que vieram da Rússia no mesmo navio que os Grünupp, tinham ido para Belém, onde o avô havia conseguido um emprego numa fábrica de aviões e a avó tinha adotado um macaco que chamaram de Biju. Depois de quatro anos no Norte, os avós se mudaram para o Rio, que então era a capital do país. E convidaram Elke para passar um ano na cidade, onde poderia frequentar uma escola pela primeira vez, aos onze anos.

Elke foi para o Rio enquanto seus pais e irmãos desciam de trem e de charrete até Atibaia, no interior de São Paulo, onde George Grünupp tinha arrendado uma chácara. A família desconhece como ele encontrou as terras, mas os filhos acreditam que o fato de George fazer parte da maçonaria na época, onde alcançou um dos graus mais altos, tenha facilitado contatos profissionais como esse. "Muitos dos negócios e empregos do meu pai passavam pela maçonaria", conta Francisca.

A irmã mais nova de Elke narra um encontro. "Em Itajubá, meu pai me empurrou do carro e disse: 'Vá falar com aquele homem'." O homem, Francisca descobriu anos depois, era Venceslau Brás, presidente do Brasil de 1914 a 1918. "Como ele conhecia políticos dessa altura? Pra mim, só há uma resposta: maçonaria", diz Francisca.

O fato é que George chegou a mais uma terra improdutiva e decidiu o que plantaria ali. "Ele percebeu que o solo era bom pra morango. E decidiu plantar morango ali, e por isso Atibaia é a terra do morango, foi meu pai o primeiro a plantar", dizia Elke. É impossível afirmar que George Grünupp tenha trazido o morango para o Brasil, como se orgulhava Elke, mas ele parece ter tido uma participação na entrada da planta europeia no país. O engenheiro agrônomo Celso Luiz Moretti analisou a introdução do cultivo de morango no Brasil e seus estudos mostram que a trajetória da fruta é paralela à da família Grünupp: os primeiros registros que se tem de plantação de morango no Brasil são da década de 1950, em Minas Gerais, quando os Grünupp estavam no estado. E na década de 1960 o cultivo chegou ao interior de São Paulo, quando a família tinha se mudado para essa região.

Quando Elke chegou a Atibaia, trazendo o vestido de crisma desenhado pela avó, a plantação de morango já dava frutos. "Eu me lembro de me deitar sobre os pés de morango depois de enjoar de tanto comer a fruta. Meus vestidos eram todos vermelhos."

Elke chegou à cidade em 1957, com doze anos. Ou a idade de sua emancipação, como ela dizia. Numa das primeiras manhãs que passava na casa nova, de um andar e três quartos, o pai se sentou para tomar café com ela. "Eu te ensinei várias coisas, não?", ele perguntou, em russo. Ela balançou a cabeça para a frente e para trás, acenando que sim. "Com o que eu te ensinei, agora você não vai passar fome." Ela demorou a entender o que o pai queria dizer. "Eu não vou mais te sustentar, Elke", ele esclareceu.

"Fiquei absurdada." Chorou por dois dias. E depois se levantou. A pré-adolescente de 1,77 metro pôs seu melhor vestido, o único que não estava manchado de vermelho, e foi até a biblioteca da cidade. Chegou falando em francês, e foi contratada para ser assistente da bibliotecária. Aos doze anos de idade, trabalhava seis tardes por semana. "É claro que meu pai continuou me dando casa e comida. Mas, naquele momento, ele me cutucou pra eu desmamar. E depois eu nunca mais consegui voltar pra barra da saia."

Foram cinco anos pacatos, dizem os irmãos. Mais um filho Grünupp nasceu em 1960. Foi batizado de Francisco. Anos depois viria o caçula, Cornelius Frederico Grünupp, de quem Elke se aproximou muito quando os dois se tornaram adultos. E, enquanto nasciam os irmãos mais novos, os três mais velhos foram matriculados na escola. Era a primeira vez que as crianças tinham ensino formal. "A gente andava um quilômetro pra chegar ao colégio público", diz Francisca Grünupp. "Mas não tivemos problema nenhum em nos adaptar."

Depois de dois anos de Atibaia, a família se mudou para a cidade vizinha, Bragança Paulista, onde George montou uma segunda plantação de morango. Ali também se criou uma boate caseira. Elke traficou do Rio ideias subversivas e discos de vinil. "Havia uma sala no térreo da casa que ela encheu de pôsteres do Elvis", diz Francisca. Elke chamava outros jovens da cidade para ouvir músicas do rei do rock 'n' roll e dançar.

Alguns adultos ficavam horrorizados. Os pais de Elke riam. Ela, por sua vez, não ouvia nenhuma das reações: estava dançando Elvis Presley com outros jovens do interior de São Paulo que eram apresentados ao rock pela primeira vez.

1962 e 1963

Um homem adulto, de bigode, terno e gravata, pergunta a uma adolescente numa praça do centro de Belo Horizonte em uma tarde de calor: "Com licença, você já pensou em participar de um concurso de beleza?".

A adolescente responde, por educação: "Obrigada, mas não tenho interesse". E sai andando. O adulto segue a garota, vestida de uniforme escolar. A cena parece o roteiro de um golpe ou de um crime, mas foi como nasceu a fama de Elke Grünupp. O homem de cabelos penteados com gel para trás era Eduardo Couri, o principal colunista social da capital mineira, com uma página diária no jornal *Estado de Minas*. E também o criador do concurso Glamour Girl, que elegia a jovem mais glamurosa da capital mineira. Mas Elke nunca tinha ouvido falar dele ou do Glamour Girl, então lhe deu as costas e foi embora.

Décadas depois, Couri escreveu que correu atrás de Elke porque ficou impressionado com a jovem "loura e angelical". Descobriu que Elke tinha dezessete anos de idade, era terceiranista do ensino normal — que hoje em dia é o ensino médio — e descolou o endereço de sua família.

Um dia depois de ter cruzado com Elke na pracinha da Savassi, Couri foi à casa dos Grünupp, no bairro de Santo Antônio, e conversou com Liezelotte. A família tinha se mudado de volta para Minas em 1962, quando George conseguiu trabalho numa empresa de gás chamada Liquigás. A mãe achou que Elke deveria sim participar do concurso. Como a maioria dos belorizontinos, Liezelotte conhecia de fama as festas organizadas por Couri, e achou que a filha não tinha nada a perder. "Eu nunca quis ser artista, me enfiaram nessa vida na marra", dizia Elke.

Além do Glamour Girl, Couri também promovia o baile Showçaite, em que as socialites podiam demonstrar seus talentos: as cenas iam de filhas de fazendeiro sapateando no palco a filha de deputado cantando em francês.

As festas aconteciam em dois dos lugares mais famosos de Minas Gerais: no Automóvel Clube, um prédio neoclássico de três andares na esquina das avenidas Afonso Pena com Álvares Cabral, no centro de Belo Horizonte, e no Iate Tênis Club, prédio projetado por Oscar Niemeyer à beira da lagoa da Pampulha.

A final do Glamour Girl de 1962 teve quarenta competidoras, que desfilaram no Iate Club e foram apresentadas à sociedade numa série de jantares nas casas das famílias mais tradicionais da cidade. O concurso era quase uma maratona: durava um mês e meio no total.

Os concursos de beleza mineiros da época eram mais conservadores que o Miss Brasil. Elke desfilou num vestido preto de alcinhas que mostrava seus braços e o colo. Não havia desfile de maiô.

Elke tinha dezessete anos, 1,77 metro de altura e um trunfo: oito línguas fluentes na boca. Quando ela subiu ao palco e lhe perguntaram qual era seu talento especial, ela respondeu: "Eu falo russo. E inglês. E francês. E grego. E latim. E italiano. E espanhol". O jurado pediu que ela cumprimentasse o público em cada uma das línguas que dominava. E Elke deu sete olás para uma plateia mineira que respondeu com palmas. Estava eleita a Glamour Girl Belo Horizonte 1962: Elke Grünupp.

Depois do concurso, parecia que a vida de Elke tinha voltado ao normal. Ela continuou a ser uma das melhores alunas da sala do Colégio Estadual Central. Voltou a dar aulas de inglês para crianças na escola Fisk e no Instituto Cultural Brasil-Estados Unidos. Nunca deixou de lado os três alunos para quem dava aulas particulares de latim e de alemão. Era amiga da vizinhança, inclusive do reverendo americano Jim Jones, que em 1978 iria liderar um suicídio coletivo de 918 pessoas de seu culto, na Guiana. E continuou o namoro com um garoto de sua idade, de nome Boris Feldman.

Loiro e alto como Elke, Boris estava na terceira série do científico, que tinha um reforço de ciências e de matérias exatas. Ela fazia clássico, mais focado em línguas como o latim e o grego. Os dois se viam no fim das aulas. "Não teve cama, não teve nada. Era namoro como na época. Adolescente tinha essas intimidades. Saía, ia pro cinema de mão dada e era isso", conta Boris. Trinta anos depois, Boris voltaria à vida de Elke.

Mas a vida de adolescente média voltou a sofrer um golpe em setembro. Elke chegou a casa e lá estava o homem da pracinha da Savassi. Eduardo Couri passara para avisar Liezelotte que Elke tinha sido convidada para competir em outro concurso de miss. "Você vai poder viajar o mundo", prometeu o colunista social.

A nova competição elegeria a Rainha Brasileira do Café e aconteceria numa feira agrícola em Londrina, no interior do Paraná. De novo, a mãe incentivou a filha a participar. George disse: "Você faça o que quiser".

Em 15 de dezembro de 1962, Elke desfilou em carro aberto pelo centro de Londrina. "Ela era a mais aplaudida. Eu nunca tinha visto uma moça tão elegante na vida", diz a professora aposentada Maria Lins, que na época concorreu, mas perdeu.

As candidatas subiram num palco, entregaram prêmios de melhor safra de café para os fazendeiros e em seguida desfilaram. A fase final do concurso era um teste de conhecimentos. Era preciso responder a perguntas sobre café em inglês e espanhol, já que a rainha internacional viajaria pela América Latina e pelos Estados Unidos divulgando o produto brasileiro.

Havia cinco finalistas no palco do Londrina Country Club: Mônica Viváqua representou o Espírito Santo; Ana Lúcia Amado Henriques defendeu o Rio de Janeiro; Isabel Maria de Lorenzo competiu por São Paulo; e Andréa Vasconcelos de Oliveira competia em casa: era a representante do Paraná e morava na mesma Londrina onde aconteceu a competição.

"O público torceu muito pela Andréa. Era um mar de palmas, porque as pessoas são provincianas. Mas ela era linda. E falava muito bem o inglês e o espanhol", diz a candidata Lins. O fato é que Elke perdeu para a morena dos olhos verdes e voltou para Belo Horizonte. Dois meses depois, a vencedora seguiu para o concurso Rainha Internacional do Café, em Manizales, na Colômbia. Mas o Brasil não conquistou a faixa, em que estava escrito Señorita del Café. Andréa foi derrotada.

Elke perdeu, mas ganhou: a projeção de ter chegado à final lhe rendeu seus primeiros trabalhos de alcance nacional. O cineasta Louis Serrano a convidou para participar do filme *Bossa nova*.

Serrano era um norte-americano fascinado pelo Brasil, que tinha uma carreira de figurante em Hollywood. Antes de conhecer Elke, ele atuou em *Love Slaves of the Amazons* [Escravos do amor das amazonas] — filme em que um grupo de americanos é preso por uma sociedade de amazonas que os usa como escravos sexuais — e fez uma ponta como policial no seriado *Perry Manson* — uma das primeiras séries de advogado do mundo.

Louis veio ao Brasil para tentar estrear como diretor. Queria fazer uma história de amor no Rio de Janeiro, ao som do novo estilo musical que surgia na cidade. O filme, batizado de *Bossa nova*, teve só uma dúzia de cenas filmadas e nunca foi lançado. Mas a participação de uma miss russa de Minas Gerais foi noticiada até em jornais do Rio de Janeiro, como *O Globo*.

A competição também rendeu a Elke sua primeira capa de revista. Uma foto que ela fez para a competição foi usada na capa da *Manchete* da segunda semana de maio de 1963. A chamada de capa é "Pelé, o rei da França", e a revista também trazia uma matéria sobre como São Paulo poderia ser uma cidade olímpica.

Uma menção discreta, no canto inferior esquerdo da capa, é feita a quem é a modelo loira, de cabelos lisos na altura do ombro, que aparece deitada de bruços na grama. O nome Elke aparece quase do tamanho de uma legenda, entre manchetes em letras garrafais. Mas o olhar acostumado consegue ler sem legenda: a adolescente na capa é Elke Grünupp.

1965

A adolescente Elke Grünupp queria sair da casa de três andares num dos melhores bairros de Porto Alegre, onde morava com a família, e ir para Cuba plantar bananas. "Ela dizia isso com frequência, não tinha vergonha. Estava encantada pela figura de Che Guevara e pelo comunismo", diz Francisca, que não compartilhava do sonho da irmã.

Pouca coisa prendia Elke ao Brasil, aos dezenove anos de idade. Depois de fazer um teste de aptidão para descobrir o que estudar na universidade, Elke ouviu que deveria ser médica. E se dedicou. Estudou em casa por um ano, enquanto dava aulas particulares de línguas, e conseguiu passar na Faculdade de Medicina da Universidade Federal do Rio Grande do Sul. Em sua sala, de trinta pessoas, havia duas mulheres.

Entrar na faculdade de medicina foi uma vitória, mas também a decisão que considerou o maior erro de sua vida. "A única coisa que eu escolhi, escolhi errado." Ela comentava das vezes que ficou com o estômago embrulhado dentro da sala de aula. O enjoo não era por lidar com doentes ou dissecar cadáveres, ela nem chegou ao ponto de tocar num corpo humano. O que a enojava era a postura dos outros médicos. "Um monte de doutores de dezenove anos que nem haviam começado a se formar ainda. Eles não tinham um rei na barriga, tinham uma família real. Não era pra mim."

Quando decidiu largar a faculdade, ainda no primeiro ano, em 1964, seu pai não se opôs. Apenas exigiu que continuasse a trabalhar enquanto pensava a qual curso se dedicaria no ano seguinte. Mas, quando Elke começou a dizer que queria ir para Cuba, ele interveio. Fez uma contraproposta para a filha: "Quer ir pra Cuba? Ótimo, vá! Mas antes vou lhe pagar uma viagem pra Europa, pra que você conheça de onde veio". Na época, George era diretor da Liquigás, uma empresa com mais de 10 mil funcionários, e podia pagar a viagem. Elke topou.

Em 13 de maio de 1965, o navio *Ruys* zarpou do porto de Santos com destino a Gênova, na Itália. Elke Grünupp era um dos mil passageiros. Alexandros Evremidis era outro. O grego de 25 anos era compacto e forte. Tinha pele morena, cabelos fartos e uma barba cerrada que só terminava perto do nariz mediterrâneo. Elke definiu sua cara como de "gigolô italiano". E às vezes o chamava carinhosamente de "gigolozinho". Alexandros era sete centímetros mais baixo que ela.

Alex, como era conhecido, estava voltando para sua Europa natal. Viera ao Brasil visitar os irmãos, Sókratis e Dimitris, que haviam se mudado para a América do Sul anos antes e trabalharam na feira e no comércio até conseguir cursar a universidade e ganhar dinheiro. Já Alex tinha abandonado os estudos de direito e de jornalismo em Zurique, na Suíça, para perseguir uma vida de escritor. Não encontrou inspiração no Brasil, e tampouco a mulher de seus sonhos, como ele contou mais tarde no livro *Adeus, Grécia!*.

Mas, na sétima noite de navio, os dois se encontraram. Alexandros, que morreu em 2014, narrou o encontro em *Melissa*, uma mistura de romance e autobiografia que publicou em 1972. A cena do navio é contada assim: "Aquela moça grandona e desajeitada, com sardas nas costas e no peito, [...] manjava de tudo, mas de tudo mesmo. E não era do tipo enciclopédia ambulante! Melissa pensava, julgava, comparava, analisava, fazia piadas e contava anedotas sobre a vida íntima de Cleópatra". O rosto de Alexandros batia nos seios de Elke, e ele não se sentiu atraído por ela num primeiro momento. Mas, quando voltou para sua cabine, não conseguiu dormir. Ficou pensando na mulher, que parecia uma camponesa de um país misterioso.

Os dois se encontraram no dia seguinte. E no próximo. Conviveram durante os últimos oito dias da travessia do oceano Atlântico sem trocar um beijo. "Eu estava literalmente desbundado. E não só porque Melissa tinha uma tremenda cultura e inteligência. [...] À medida que trocávamos ideias, eu via que tínhamos mais ou menos as mesmas opiniões sobre [...] o mundo que nos cercava e dentro do qual vivíamos."

Até que o navio chegou à Europa. Quando estavam na costa de Portugal, o capitão convidou Elke para ir à boate. Ela aceitou, mas só se Alexandros pudesse ir junto. Foram os três. No livro, ele conta que Elke fazia um revezamento: dançava com um e depois com outro. "Meio chateado, fiquei sacando com o canto do olho, pra ver se ela ia dançar com ele do jeito que tinha dançado comigo. Dançou! 'Desgraçada!', pensei. Qual é a dela, afinal?"

De volta ao navio, Alexandros estava bêbado demais para andar, por mais que Elke tivesse bebido o mesmo tanto e estivesse com o passo firme. Quando ele tropeçou e caiu no chão, ela começou a falar com voz de neném. "Que que há, quiancinha? Quiancinha bebeu muito vinho e não consegue andá sozinha? Vem, neném de Melissa, vem que vou te calegá no colo." A mulher de 1,77 metro pegou o homem de 1,70 metro no colo. E no dia seguinte os dois desembarcaram na Europa.

Elke ia para a casa da avó, na cidade alemã de Leutkirch. Alexandros voltaria para a faculdade em Zurique, na Suíça. Os dois se separaram na estação de trem. Nos primeiros dias na Europa, Alexandros entrou numa crise, não sabia se devia procurar a mulher por quem estava apaixonado ou não. Ele dedicou oito páginas do livro à hesitação entre ir ou não para a Alemanha.

O drama foi resolvido numa frase. Em julho de 1965, ela deixou um bilhete na porta da pensão em que Alexandros morava: "Estou na cidade e quero te ver". Ele ficou impressionado, pois não tinha passado seu endereço a ela. Elke havia visto o endereço do grego escrito nas malas, quando eles desceram do navio: "Schmidgasse, 6". No térreo desse endereço, funcionava um prostíbulo. No terceiro andar, ficava o apartamento de Alexandros, menor que o quarto de Elke no Brasil, e com o teto tão baixo que ela precisava andar encurvada para não bater a cabeça.

"Esse teu quarto é muito dostoievskiano", ela disse da primeira vez que entrou no quartinho. "Aliás, você é o próprio Raskólnikov", ela notou, comparando o grego com o estudante que vive na pobreza em São Petersburgo e é personagem principal do romance *Crime e castigo*.

Alexandros gastou mais duas páginas do livro narrando sua hesitação em dar um beijo em Elke. De novo, foi ela quem tomou a dianteira. "Quando sentiu o contato dos meus lábios, me agarrou com tanta força que até fiquei com medo. […] Melissa praticamente me jogou sobre a cama e parecia querer me devorar, me comer vivo. […] Eu te falei, ela era o dobro de mim. E eu, praticamente um joguete nas suas mãos. Me senti intimidado. Me deu vontade de gritar: 'Pera aí, Melissa! Afinal de contas, eu sou o homem aqui.'"

E segue a cena do primeiro sexo entre os dois, explícita e com três páginas de duração. Um dos trechos mais leves é: "Eu queria uma mulher que curtisse o sexo; que mordesse, que gritasse, que uivasse, que desmaiasse de prazer. Um corpo ligado, que se comunicasse com o meu. […] Ela gritava feito um animal ferido e tentava forçar a barra para colocar o pau dentro do buraco. Mas eu não deixava".

Depois do primeiro sexo, os dois se apaixonaram e decidiram ficar juntos, mas amargaram algumas semanas de separação.

Até que Elke fugiu da casa da família na Alemanha. A viagem, que deveria ter sido de três meses, acabou durando dois anos.

Os dois passaram um ano e meio viajando pela Europa. Lavaram pratos em Atenas. Vestiram as melhores roupas que tinham para visitar o Panteão grego. Na maior parte desse tempo, dormiram num Citroën Deux Chevaux, um carro com o teto redondo parecido com um fusca, só que mais comprido.

Na primavera, Alexandros levou Elke a Mavrodendri, um vilarejo nas montanhas do norte da Grécia, onde nasceu. Lá, Elke recebeu um batismo local. Seu nome grego passou a ser Melissa Vassiliki. Melissa significa "abelha" em grego e Vassiliki, "membro da família real". Por um ano e pouco, enquanto estava na Grécia, Elke virou Melissa Vassiliki, a abelha-rainha.

Vem daí o nome da biografia não autorizada, *Melissa*. O livro, que saiu quando os dois já estavam casados, causa discórdia na família até hoje. Além de afirmar que Liezelotte foi secretária de um ministro do Partido Nazista, informação que Elke repetiu a três de seus melhores amigos, consta em *Melissa* que Elke foi estuprada pelo avô. E que as surras do pai eram mais frequentes, e mais violentas, do que ela contava.

Na versão narrada no livro, Melissa estava grávida em 1965 e foi mandada à Europa para ter o bebê sem que ninguém no Brasil soubesse. E sofreu um aborto espontâneo em Zurique, na cama da pensão de Alexandros, antes que os dois conseguissem encontrar um médico disposto a interromper a gravidez indesejada. Mais tarde, Elke comentou que fez três abortos em sua vida, dois deles no Brasil. E todos durante a juventude. Mas evitou comentar o terceiro.

Francisca Grünupp negou todas essas informações e afirmou que moveria um processo contra Alexandros e a editora de *Melissa* se conseguisse uma cópia do livro para pinçar os trechos que considera mentirosos. É que o livro está com a tiragem esgotada, e a editora fechou nos anos 1990. Mesmo a família e os amigos mais próximos de Elke não têm um exemplar.

O livro pode não ter sido um sucesso de vendas, mas foi bem recebido pela crítica. O escritor Carlos Heitor Cony, que era membro da Academia Brasileira de Letras, viu qualidades e escreveu um artigo sobre *Melissa*. "O seu texto, se não é perfeito em termos de vernáculo, é mais do que perfeito em termos de língua literária. Ele o encontrou de forma surpreendente porque, antes de verbalizar seu discurso, tratou de encontrar a sua própria vida. Fatalmente teria de dar no que deu: num romancista", Cony escreveu na *Folha de S.Paulo* em 2002.

É impossível saber o quanto do livro é ficção. Evremidis dizia que quase tudo ali era verdade. Elke também confirmava que os escritos do primeiro marido eram fiéis à sua vida, mas afirmava que jamais tinha lido o livro da sua vida. "É que eu prefiro ler pessoas, e não livros."

De 1967 a 1969

Elke bateu na porta da casa dos pais, no número 1 da rua Dona Laura, no fim de 1966, depois de quase dois anos de Europa. "Foi ótimo. Mas aí cansou. Doeu as costas de dormir no carro. E a gente voltou."

Alexandros viria meses depois. Por um tempo, os dois se instalaram na casa de três andares da família Grünupp. George e Liezelotte não viam problema nenhum em abrigar a filha de 22 anos e seu namorado. "Eu perdi a virgindade com dezesseis anos e isso nunca foi uma questão em casa. Meus pais nunca quiseram saber o que eu fazia, se eu fazia, se eu dava, se eu não dava."

A casa da família ficava em Moinhos de Vento, um dos bairros mais ricos da cidade. A vizinha era Neusa Brizola, mulher do ex-governador do Rio Grande do Sul, Leonel Brizola. Liezelotte e Neusa se tornaram confidentes. Elke jamais soube do que conversavam. "Minha mãe era uma pessoa muito discreta", explica Francisca Grünupp.

Todos os irmãos moravam juntos e estudavam na grande escola Bom Conselho, religiosa e tradicional. "Eu brigava com as freiras por causa de religião. As freiras disseram que eu não era grata lá, então fui pro Americano, que era do mesmo nível, só que laico", conta Francisca.

A família não se importava se eles estudassem em escola religiosa ou laica. A única exigência do pai era que todos fizessem faculdade. "Mas a Elke foi a única que foi pra universidade", diz Francisca. Depois de voltar da Europa, Elke se inscreveu no vestibular e passou no curso de letras clássicas da Universidade Federal do Rio Grande do Sul. Foi quando se profissionalizou como tradutora e intérprete de línguas. Nutria uma admiração enorme pela professora de grego e latim Maria Ivone Catharina Paleikat. "Era uma mulher sábia, uma mulher pra quem o conhecimento era um tesão, não era uma arma. Uma das mulheres que mais me marcou", ela disse trinta anos depois.

Alexandros começou a fazer as primeiras reportagens em português, que vendia para revistas brasileiras, como a *Veja*. Elke conseguiu um emprego como recepcionista de um banco. "Naquela época banco era um lugar agradável, eu conversava com as pessoas. Hoje em dia os bancos parecem uns bunkers, daí acho que não seria mais a minha", disse em 1999.

Dividiam o quarto mesmo sem ser casados. Até que, em 1969, se casaram. A cerimônia aconteceu na Igreja Ortodoxa Grega dos Santos Apóstolos, um prédio pintado de branco e azul como os que eles visitaram na Grécia.

O único vestido de noiva que Elke usou fora de desfiles de moda era simples: branco, sem decote, liso e com mangas que terminavam no meio do braço, como uma camiseta. Muito mais simples que o vestido branco usado em sua crisma. No dia do casamento, o cabelo dela estava com cachos bem definidos por *baby liss*. Alexandros vestia um smoking preto. Os dois estão de coroa com as bocas abertas num sorriso, e ela carrega uma rosa branca. Atrás da foto, Alexandros anotou: "Eu e Elke cumprindo... papelão".

Ainda que fossem um casal libertário, Elke Grünupp adotou o sobrenome do marido. Passou a se chamar Elke Evremidis.

No futuro, Elke diria que se casou oito vezes. Era outra adaptação da própria história: o casamento com Alexandros foi o único de papel passado. Os outros relacionamentos que ela chamava de casamentos, dentro de um acervo de dúzias de namoros e casos, tinham sido os mais longos ou mais impactantes. Mas Elke se casou apenas dessa vez.

A vida em Porto Alegre era aprazível, mas entediante demais para um casal de jovens que tinha acabado de conhecer a Europa toda e queria fazer parte do cenário artístico do país.

Semanas depois do casamento, os dois partiram para o Rio de Janeiro, onde Elke passou o resto de sua vida. E onde em menos de um ano ela se tornou famosa.

1969

Elke Evremidis entrou em um sobrado numa rua residencial de Botafogo sem tocar a campainha ou pensar duas vezes. Nove horas depois, quando o sol estava se pondo, ela saiu. Ao voltar para o apartamento de um quarto, no Centro, Alexandros cozinhava o jantar. Era dezembro de 1969 e fazia dois meses que eles moravam no Rio. Ela tinha 24 anos e havia feito seu terceiro aborto. "Eu fiz muito bem. Não saberia educar uma criança", disse, quase quarenta anos depois.

Os abortos eram um assunto de que ela falava sem reservas. Contou para Raul Gil, Marília Gabriela e Gugu Liberato que havia feito três procedimentos. Ela dizia que não se lembrava exatamente onde tinha sido o primeiro. No livro, Alexandros narra que Melissa, o heterônimo de Elke, teve um aborto espontâneo aos dezoito anos e eles estavam na Alemanha. A segunda interrupção de gravidez foi aos 21 e ela morava em Porto Alegre. "Tomei chazinho, remedinho, tudo o que diziam que tirava. Resolvi em casa mesmo."

A escolha era a única possível, já que ela se considerava inapta para ser mãe: "Sou uma pessoa que não posso ter âncoras. Tem gente que precisa de âncoras, e tem gente como eu que não pode ter de jeito nenhum. Eu criaria um monstro. E já temos monstros o suficiente." Além disso, o casal mal tinha dinheiro para se sustentar. Na época do terceiro aborto, Alexandros passava por um périplo de papelada para revalidar no Brasil as faculdades de jornalismo e de direito que havia feito na Suíça. Ela era uma estudante de filosofia que trabalhava como intérprete e professora particular de línguas. E a faculdade já lhe trazia problemas o suficiente.

No meio do primeiro semestre do curso, um novo aluno sentou-se ao seu lado. "Tava escrito na testa dele: Dops", disse ela, referindo-se ao departamento de polícia política. O novo aluno frequentou as aulas por algumas semanas. Até que um dia se virou para Elke e perguntou: "Você é russa, né?". Ela respondeu: "Não, eu já fui russa. Nasci na Rússia, porém não sou mais russa". O colega então perguntou o que a trouxera ao Brasil. "Meu pai teve problemas políticos lá." Ele questionou: "Ah é? Você é comunista?". Ela respondeu que não: "Sou anarquista mesmo".

Em outra tarde letiva, dois agentes do Dops apareceram de surpresa no hall da faculdade e entraram na sala de aula. Um conhecido de Elke estava com uma pasta cheia de panfletos denunciando os crimes da ditadura. Ela pegou a pasta do amigo, levantou a mão e pediu licença ao professor para usar o banheiro. Começou a picotar os panfletos subversivos e tentar jogá-los pela privada enquanto as pessoas batiam na porta do banheiro e ela gemia e gritava: "Estou com dor de barriga!". Quando saiu, foi revistada e liberada. Havia conseguido se livrar do material subversivo.

Mas não demorou nem dois anos para que Elke se cansasse da terceira faculdade que começou, também na Universidade Federal do Rio Grande do Sul. "Você só podia falar nos filósofos que coubessem na burrice da ditadura. Na viseira da ditadura. E a sabedoria não é de direita. Não é de esquerda. Não é de centro. Ela é de banda. Aí a filosofia ficou curta. Então, tchau."

Enquanto isso, Alexandros conseguia criar uma carreira na comunicação. Foi contratado pela Bloch Editores, uma das maiores empresas do ramo que o Brasil já teve. Escreveu para a *Manchete*, para a *Desfile* e para a *Ele & Ela*, de sexo. Depois foi convidado a ser editor da *Pais&Filhos*, por mais que não tivesse filhos, e da *Fatos e Fotos*. Um dia, na redação da *Manchete*, ele descobriu que Guilherme Guimarães, o estilista mais famoso do Rio de Janeiro, preparava um desfile. E chegou a casa dizendo: "Elke, você vai desfilar pro Guimarães!". Elke respondeu: "Ah, vou?".

Alexandros conseguiu o endereço do estilista com um colega de redação, e numa tarde de quinta foi com Elke até a porta do prédio. Ela entrou no elevador e pensou: "Eu vou subir, vou abrir e fechar a porta, vou descer e dizer que não deu certo". Mas alguma coisa aconteceu entre o térreo e o quinto andar, onde era o apartamento do estilista. "Bateu a curiosidade. Foi sempre isso que me levou a fazer as coisas: curiosidade." Guilherme Guimarães abriu a porta. Elke sorriu e disse: "Oi! Eu quero desfilar pra você". O homem de 1,72 metro olhou para ela de baixo, pôs a mão no queixo e perguntou: "E você já desfilou antes?". Elke se autodiminuiu: "Eu fui Glamour Girl lá em Belo Horizonte, fui miss. Mas não tem muito a ver, né?". Quando ela estava prestes a virar as costas, Guimarães disse: "Entre, por favor. Meu ateliê é à esquerda".

Elke experimentou um vestido preto com uma flor negra no ombro esquerdo. A modelagem da roupa era conservadora: uma gola alta, barra até o chão e mangas que cobriam os punhos. Mas a audácia da peça estava no material: era feita de um tecido brilhante e transparente, que deixava ver a calcinha de cintura alta e a ausência de sutiã por baixo. "Caiu bem, mas precisa de um reparo aqui e outro aqui", disse Guimarães, pinçando com os dedos os pontos em que a roupa precisava ser ajustada. "Você volta na quinta-feira que vem pra fazer a prova final? E o desfile é daqui a duas semanas."

O desfile seria no salão mais sofisticado do hotel mais sofisticado do Brasil: o Golden Room do Copacabana Palace. O lugar funcionou como cassino quando o jogo ainda era legal no país, até 1946, e foi transformado em salão de festas depois disso.

"Toda a socialitada estava lá", contava Elke. Carmen Mayrink Veiga, que então ostentava o título de mulher mais elegante do Brasil, estava nas mesas do salão. Naquela época, podia-se comer, beber e fumar durante um desfile, que era um evento para uma tarde inteira.

Não era só a plateia que intimidava. Assim que entrou no camarim, Elke deu de cara com uma morena alta, de nariz fino e olhos amendoados. Era Vera Barreto Leite, uma das maiores modelos que o Brasil já teve, manequim favorita de Coco Chanel. "Cacete! Que que eu estou fazendo aqui?", pensou. Virou de costas e esbarrou em Camille, a modelo predileta do estilista francês Guy Laroche. Ela tremia e acendia um cigarro na brasa do outro, lamentando que os garçons não entrassem no camarim com suas bandejas de champanhe.

Depois de uma hora ansiosa, ela tomou uma decisão que carregaria para a vida. "Sabe de uma coisa? Eu vou ser eu mesma." Elke seguiu as instruções: rodou com o vestido e parou no fim da passarela, as mãos na cintura, encarando as convidadas com o semblante sério. Depois de uns segundos imóvel, Elke se rebelou. Mexeu os músculos do rosto e abriu um sorriso. Gargalhou. "Aquilo era uma revolução. Modelo fazendo cara de vida!", dizia o colunista social Zózimo Barrozo. E foi assim que ela percorreu o caminho de volta na passarela, com um sorriso no rosto. Naquela época, modelo não sorria. Quando ela abriu a boca para mostrar os dentes, a plateia abriu a boca em choque. Elke voltou para o camarim sem saber direito o que tinha acontecido. "Eu estava bêbada de adrenalina." Só lembrava que uma salva de palmas a encobriu quando ela voltou para a passarela.

No fim da noite, o marido a recepcionou na quitinete do Centro. Perguntou como tinha sido. "Foi um arraso. Eu acho..." Alexandros abriu os braços e disse: "Não falei pra você?". Para comemorar, tomaram uma garrafa de uísque.

Danuza Leão, a cronista social e escritora, diz que Guilherme Guimarães se apaixonou por Elke de vez quando foram juntos fazer um desfile na Suíça, em meados da década de 1970. "Eles pegaram um voo pra Europa e o Guilherme não dormiu um minuto, de tanto que a Elke falava coisas interessantes. Quando me encontrou, definiu a Elke assim: 'Essa mulher é um jet lag!'"

De 1970 a 1972

Elke Evremidis perdeu o sobrenome a partir de 1970. Quando ia fazer parte de um desfile, era anunciada só como Elke. "Evremidis é muito difícil. Georgievna e Grünupp, que são meus sobrenomes de batismo, então, nem se fala. Daí eu virei só Elke. Ter um nome só é uma coisa muito pedante, mas não era pedância. Era facilidade", Elke explicava. E ela aparecia em muitos desfiles com seu nome único.

Só no primeiro ano da década de 1970, Elke apareceu na passarela de Dener, de Clodovil e de Zuzu Angel, na época os três maiores nomes da moda brasileira, além de Guilherme Guimarães.

O desfile que mais a marcou, entretanto, não foi nenhum desses. Isso aconteceu quando estreou um novo estilo na avenida Vieira Souto, numa noite de dia útil. Estava começando na moda, em 1970, quando abriu o armário e se deparou com um breu. "Eu só tinha roupa preta! Eu gosto, até hoje uso muito preto. Mas só preto não dava." Elke então pôs uma cor no visual. "Peguei uma calça e rasguei toda, botei uma meia roxa, enchi a cara de batom, desgrenhei o cabelo e fui encontrar uns amigos."

No caminho, enquanto andava pela orla, um grupo de seis homens começou a chamá-la. "Perguntaram: 'Tá vestida de palhaço por quê, loirinha?'. Eu mandei tomar no cu." Um dos homens correu atrás dela e lhe deu um soco na cara. "Saiu tanto sangue. Peguei o sangue e passei no cara que me deu porrada. E fui no [hospital] Miguel Couto me costurar." Chegando ao pronto-socorro público, o médico perguntou o que tinha acontecido. E Elke respondeu: "Você sabe que eu ainda não entendi?". Ela dizia que já estava acostumada a tomar porrada desde criança, então nem ligava. "Quem não sabe beijar dá tapa, né?", dizia ela, e mostrava a cicatriz que o soco tinha deixado, na parte interna do lábio inferior. Contudo, uma coisa que a incomodava mais do que violência física era que cuspissem. "Já recebi cuspida três vezes, sempre de mulheres." E todas no começo de sua carreira.

O estilo próprio de Elke trouxe mais do que agressões. A mesma performance que ela fez no desfile de Guilherme Guimarães, em que mostrou as roupas gargalhando, cativou outros criadores. Os estilistas aproveitavam o personagem exótico de Elke. Ela era modelo de si mesma.

Seu principal cliente era um estilista jovem e provocador que se chamava Clodovil Hernandes. Antes de os dois virarem personalidades televisivas, eles colaboraram na passarela. Clodovil passou anos bolando looks que fizessem sentido para Elke. Num dos desfiles, Clodovil pôs na passarela modelos usando vestidos longos de tafetá e de seda, com o rosto branco como mulheres da corte. Elke entrou na passarela com uma sombrinha de renda, ao estilo de uma dama vitoriana, e o rosto inteiro pintado de blush vermelho.

A partir de 1971, ela adotou o hábito de perguntar o que o estilista queria que ela fizesse na passarela. Se a ideia era desfilar séria, ou com cara de fome, como ela falava, nada feito. Chegava a recusar convites para desfiles, se a roupa não conversasse com seu estilo ou se a marca exigisse uma atitude sisuda na passarela. "Eu falava: 'Ah, meu amor. Mas isso várias outras fazem. Chame uma delas'."

Os trabalhos permitiram que ela e Alexandros se mudassem para a zona sul e jantassem fora toda noite. "Eu ganhava o suficiente pra pagar um bom aluguel, mas não pra comprar uma casa."

Em dois anos de carreira, quando estava prestes a estrear na TV, ela já tinha se firmado na moda. Fora capa de uma revista da Editora Abril. A *inTerValo 2000*, com as letras T e V em maiúscula, formando a palavra TV, trazia em sua capa de dezembro de 1971 uma foto de Elke e a chamada: "Elke Grünupp (26 anos), russa de nascimento, carioca por adoção, é hoje a manequim mais comentada do Brasil. Ela é a primeira a adotar, de corpo e alma, o tipo Marilyn Monroe, que os ditadores da moda querem ressuscitar em todo o mundo". Dois meses antes, a mesma revista tinha mostrado Regina Duarte sorrindo na capa, com a frase: "Eu também tenho problemas".

A *Realidade*, uma das revistas de jornalismo literário mais respeitadas que já existiu no Brasil, pôs Elke na capa ao lado de um porta-retrato de Marilyn Monroe e a manchete: "O passado está na moda". Na foto, Elke ostenta a mesma pinta na bochecha esquerda e o cabelo loiro volumoso armado caído no rosto usados pela diva americana.

Mas Elke conseguiu se desvencilhar rápido da comparação com Marilyn. Criou um estilo próprio, com ajuda de Jambert e de Silvinho, os dois cabeleireiros mais estrelados da década de 1970.

Foi no salão de Jambert que conheceu a estilista de quem mais se aproximou nos anos seguintes: Zuzu Angel.

Por mais que não estivesse lá sempre a trabalho, Elke gastava muito tempo na rua Nascimento Silva, número 510, em Ipanema. Era lá o ateliê de Zuzu Angel. A estilista também tinha crescido em Minas Gerais, e também era uma mulher de estética própria. Ela foi uma das primeiras costureiras a desobedecer às regras de proporção das grandes maisons francesas e criar uma moda brasileira. Usava estampas inspiradas no artesanato brasileiro e propôs uma modelagem mais solta que a dos vestidos acinturados dos outros estilistas famosos.

Zuzu tinha uma moda política, pois sua vida tinha mudado por questões políticas. Seu filho, Stuart Angel, que fazia parte de um grupo de guerrilha contra a ditadura, havia sido preso pelo regime e tinha desaparecido. Em 1971, Zuzu fez um protesto internacional. Um desfile marcado no consulado brasileiro em Nova York virou um protesto contra o sumiço de seu filho. A estilista se vestiu de luto, com um vestido preto fechado e a cabeça coberta por um pano negro. E apresentou vestidos com estampas que remetiam ao sumiço do filho, como um sol preso entre grades, um militar bordado e um anjo encarcerado numa gaiola.

O clima lúgubre da moda de Zuzu nesses anos não combinava com a exuberância da modelo Elke, e por isso as duas não trabalhavam juntas com a mesma frequência com que conviviam. Mas Elke participou de alguns desfiles de Angel. Em 1970, ela mostrou um vestido curto de seda pura com uma franja na barra. A mesma estampa colorida de losangos está numa estola que Elke usou pendurada nos ombros. Elke chegou ao final da passarela e gargalhou, com as mãos na cintura, a cabeça pendente para o lado esquerdo e a perna esquerda dobrada para trás. A pose viraria uma de suas marcas registradas.

Em outro desfile, de 1971, Elke está sem um centímetro de pele exposta: só mostra a face e traja um vestido branco de estampa de flores com mangas longas, colar de pérolas comprido e chapéu feito do mesmo tecido do vestido. Ela sorri, a boca coberta de um batom vinho. Atrás da foto, Zuzu escreveu à mão: "Elke Maravilha, manequim vedete de Zuzu Angel".

Mais que uma vedete, Elke viraria uma admiradora de Zuzu. E, por lealdade a ela e a suas crenças políticas, a modelo mais famosa do Brasil foi para a prisão.

1972

No dia 27 de fevereiro de 1972, Elke Evremidis faria uma estreia. Estava a uma ponte aérea de distância de seu primeiro programa de TV como atriz. Junto com Hildegard Angel e Grande Otelo, ela iria participar do *Programa Silvio Santos* para falar sobre o filme que o trio tinha gravado, e que seria lançado nos próximos dias.

O barão Otelo no barato dos bilhões era uma comédia clássica de Otelo, em que ele interpretava um trabalhador sem muita perspectiva na vida que, por obra do acaso e do jogo ilegal, virava milionário. Elke e Hildegard foram convidadas para papéis de secretárias porque eram modelos e conheciam pessoas ligadas à produção. E tinham levado as filmagens como uma festa.

"Era divertidíssimo. Mas teve uma cena que eu estraguei. O Otelo estava pelado e eu precisava falar algo pra ele. Mas quando olhei pro tamanho do tambor dele, eu não consegui", disse Elke. O diretor, Miguel Borges, cortou a cena e mostrou para Elke como havia ficado a filmagem. "Eu só olhava pra baixo, parecia que eu estava hipnotizada", ela ria.

Por mais que os papéis das duas fossem pequenos, elas tinham sido convidadas a ir para as entrevistas na TV com o protagonista e produtor associado do filme. Era por isso que naquela manhã iam voar a São Paulo e participar do *Programa Silvio Santos*. No começo da década de 1970, Silvio alugava as tardes de domingo da Globo, e seu programa já era o mais assistido em São Paulo. No ano anterior, 1971, ele gravara sua

primeira vinheta de fim de ano da Globo. No comercial, Silvio ficou ao lado do Chacrinha enquanto os dois cantavam a música de fim de ano: os dois chefes da Elke jurada, que nasceria em breve, estiveram juntos antes de ela começar no ofício.

Mas Elke jamais chegou ao estúdio do homem que dali a uma década seria seu patrão e, até o fim de sua vida, um de seus únicos desafetos. Em vez disso, fez outra estreia: na cadeia. Ela foi presa no aeroporto Santos Dumont, enquanto esperava para pegar o voo para São Paulo.

Assim que o trio chegou ao aeroporto, no Rio, viram que dezenas de pilastras estavam cobertas por cartazes com a foto de um rosto conhecido. Os anúncios de PROCURA-SE tinham a foto de Stuart Angel, irmão de Hildegard e filho da estilista Zuzu Angel. O documento o classificava como um inimigo da pátria e anunciava seu codinome, Paulo Henrique.

Mas Stuart já estava morto a essa altura, informavam seus parceiros de clandestinidade. Meses antes, Stuart fora amarrado a um jipe, com a boca presa ao escapamento. O carro deu partida com ele e rodou pelo Centro de Informações de Segurança da Aeronáutica, no Rio de Janeiro, até que Stuart morreu asfixiado.

"Eu via o rosto dele em todo lugar, e aquilo começou a me tomar, começou a me irritar. Eles procuravam um morto, naquela farsa, fingindo que não tinham assassinado o Stuart. Uma farsa muito cruel pra todos nós." Como ela dizia, baixou o Grünupp. Baixar o Grünupp, Elke explicava, era quando a voz de seu pai se manifestava através dela, com o rigor de um russo. Elke pegou um cartaz com as duas mãos e o rasgou, sem dizer uma palavra para os amigos.

Dois militares fardados se materializaram em menos de trinta segundos. No meio do rompante, Elke não reparou: "É impressionante, a gente nem viu de onde vieram!". Hildegard congelou enquanto ouvia o diálogo entre Elke e um dos militares, o agente Luiz Camillo:

"Foi a senhora que rasgou isso?"

"Fui eu, sim."

"E por que a senhora fez isso? A senhora conhece esse homem?"

"Conheço."

"O que a senhora é dele?"

"Ele é meu irmão."

Hildegard ficou paralisada assistindo à cena. "Primeiro, eu falei 'Mas ele é meu irmão'. Segundo, eu pensei 'A Elke está fazendo o gesto que eu deveria estar fazendo. Mas, se eu fizer esse gesto, eu vou morrer'", ela contou numa palestra no Itaú Cultural em 2014.

Os policiais ordenaram que Elke fosse com eles para a Delegacia de Ordem Política e Social, o Dops, no centro da cidade. Enquanto Hildegard e Grande Otelo assistiam boquiabertos, os dois a levaram, cada um a segurando por um braço.

Um funcionário saiu de trás do balcão da companhia aérea e a acompanhou. Sussurrou, enquanto ela era arrastada pelos militares: "Eu estou com você. Deixei meu documento na Varig pra saber aonde você está sendo levada. Aqui somem com as pessoas". Esse homem seguiu o camburão que ia para a delegacia. Até o fim da vida, Elke dizia que se encontrava com o mesmo funcionário, cujo nome nunca aprendeu, e o abraçava.

A ironia dessa cena é que, meses antes, Elke havia pedido que Zuzu tentasse controlar suas críticas ao regime militar. No ateliê, depois de Zuzu ter dado uma entrevista, Elke puxou a estilista de lado e, num sussurro, pediu: "Maneira um pouco, eles vão te matar". Zuzu Angel, que era 25 centímetros mais baixa que Elke, olhou para cima e respondeu: "Eles já me mataram, Elke. Eles mataram o Stuart".

De volta ao aeroporto, Elke foi enfiada num camburão. Enquanto isso, Grande Otelo insistiu que ele e Hildegard pegassem o avião. "O Silvio Santos é o homem mais poderoso do Brasil. Nós vamos falar com o Silvio Santos e ele vai soltar a Elke", disse Otelo a Hildegard.

Em 2014, Elke ouviu Hildegard narrar a cena. Riu e disse: "Como você é equivocadinho, Otelo! Onde quer que você esteja, você é equivocadinho!", disse ela para o ídolo, que morreu em 1993.

Dentro da aeronave, que não tinha lugares marcados, Otelo se sentou uma fileira à frente de Hildegard. Eles não se falaram durante o voo de quase uma hora. A única comunicação entre os dois foi um bilhete que ele passou para ela, disfarçadamente. Grande Otelo havia escrito no papel: "Procure José Gomes Talarico". José Gomes Talarico era na época um ex-deputado federal pelo Rio de Janeiro.

Quando o avião pousou em São Paulo, havia um camburão estacionado perto da saída do avião: "Eu tinha certeza de que era pra me prender", diz Hilde. Não era. Ela e Otelo foram até o

Cine Sol, teatro onde era gravado o programa de TV, no bairro do Carandiru, a cinco quarteirões da Casa de Detenção onde em 1992 ocorreu o massacre em que 111 presos foram mortos. Chegando lá, Otelo passou a pedir para qualquer pessoa que visse: "Eu preciso falar com o Silvio Santos". Não foi atendido.

Enquanto isso, Hildegard encontrou um orelhão e ligou para sua mãe, Zuzu Angel, e para uma amiga em comum com Elke que talvez pudesse ajudar. Hilde falou com Lady Hilda, nome artístico da dançarina Hilda Ribeiro de Oliveira, que participou de dezenas de peças e filmes com Grande Otelo, e era casada com um delegado de nome Noronha. No dia seguinte, o delegado Noronha iria ao Dops e assinaria um termo de responsabilidade por Elke.

Enquanto isso acontecia, Elke já havia chegado ao Dops, no centro do Rio. A ala feminina do lugar era conhecida como Depósito de Presas São Judas Tadeu, e ali Elke foi fotografada de frente e de perfil, e sua ficha, preenchida. "Eu fiquei até bonitinha na foto", ela diria trinta anos depois, olhando para sua ficha policial. Nas fotos de seu fichamento, Elke aparece com uma blusa de malha canelada que ela mesma tinha rasgado, para ficar enviesada, e meia-calça verde.

Era acusada de violação à Lei de Segurança Nacional. "Fina eu, né? Achei tão chique!", ela comentaria décadas depois. Foi levada para a detenção provisória, onde havia cem outras prisioneiras. Sua cela, conta, tinha mais seis pessoas: quatro subversivas, como ela, e duas reféns da ditadura, uma menina de treze anos e outra de quinze que estavam lá havia seis meses porque o pai era procurado.

Uma das companheiras de cela estava cadavérica, magra e pálida. Assim que a porta da cela se fechou, Elke perguntou a ela o que tinha acontecido: "Eu fiz tratamento dez anos para engravidar. Daí pedi pra não baterem na minha barriga, porque eu estava grávida, e eles bateram. Eu abortei", respondeu a mulher.

DELEGACIA DE ORDEM POLÍTICA E SOCIAL

REFERÊNCIA: OCORRÊNCIA Nº 219/72
SINDICÂNCIA - RELATÓRIO

Informando o expediente de referência, cabe-nos dizer o seguinte:

a) a sindicada é filha de GEORGE GRUNUPP e ILSE GRUNUPP, natural da Alemanha, nascida a 22/02/1945, brasileira por opção, casada, xxxxxxxxxxxxional, residente na xxxxxxxxxx xxxxxxxxxxxxxxxxxxxxxxxxxxxxxxxx, portadora da carteira de Identidade, xxxxxxxxxxxxxxxxxxxxxxx, expedida em .... 04/03/1969, pelo Instituto de Identificação da Secretaria de Segurança do Estado do Rio Grande do Sul, com validade até 22/02/1970.

b) foi detida cêrca das 09.15 horas, do dia 27/02/972, no salão de espera do Aeroporto Santos Dumont, pelo Agente de Polícia Federal, LUIZ CAMILLO, quando ali aguardava a partida de um avião para São Paulo, para onde pretendia viajar. A detenção foi em decorrência da mesma, ter retirado dos cartazes oficiais de elementos terroristas, condenados pela Justiça Militar e procurados pelas Autoridades de Segurança, colocada próximos ao privativo das senhoras, a fotografia do terrorista STUART EDWARD ANGEL JONES, sob o pretexto de ser amiga da família, julgando-o morto, não haver mais necessidade para continuação de seu retrato exposto à curiosidade pública, esclarecendo, entretanto, ter sido surprêsa saber da situação de subversivo imputada ao extinto.

c) esclarecendo seu gesto, declarou que foi um ato impulsivo e incontido, sem maiores consequências e nem outra significação, tão sômente de surprêsa, ficando chocada com a visão do seu retrato em um cartaz de elementos procurados pela Justiça, pois sendo muito amiga da família, trabalhando na Casa de Modas da mãe do terrorista, nada sabia das suas atividades.

d) a sindicada não registra antecedentes políti

fls.2

políticos e nem criminais comuns, as consultas feitas nas áreas da DI/DOPS e IPF/SSP, foram negativas. A Carteira de Identidade, da qual fazia uso a sindicada, foi arrecadada e anexada a presente sindicância, por estar a mesma desatualizada, com prazo de vigência já expirado, recomendando-se a sua inutilização ou a sua devolução ao órgão expedidor.

A sindicada, procedeu impulsivamente, com acinte e desrespeito à Justiça, arrancando e inutilizando publicamente cartazes oficiais com fotografias de terroristas condenados pela Justiça Militar por atividades antidemocráticas e procurados pelas Autoridades de Segurança, sob pretexto fútil e sem justa causa.

O ato praticado pela sindicada, revelou sentimentos antipatrióticos, com tentativa de acirrar o ódio contra as Autoridades Constituídas, por determinar a prisão de elementos julgados e condenados pela Justiça Militar, dando ato público de sua simpatia a pelo terrorista e talvez pela sua causa, com a destruição do seu retrato, meio pelo qual poderia ser o mesmo localizado. A situação agrava-se, quando se sabe que a sindicada praticou um ato em benefício de um inimigo das Instituições Democráticas vigentes no País, especialmente, quando executado por um elemento que, gozando das franquias da nacionalidade brasileira, seja de origem estrangeira.

Face ao exposto, não estando a ação praticada pela sindicada, capitulada no Decreto-lei 898/69,

SMJ,

somos de parecer, entretanto, tratar-se na realidade de uma simpatizante da causa abraçada pelo seu amigo, pôsto que, de público, manifestou inequívocamente êsse seu sentimento, retirando de um cartaz de elementos procurados pela Justiça, o seu retrato, a fim de evitar que o mesmo fôsse reconhecido e prêso, razão porque, sem outra alternativa, para enquadrá-la nas malhas da Lei, após as devidas anotações de praxe, arquive-se a presente sindicância.

Rio de Janeiro, 29 de fevereiro de 1972.

Edson de Alencar Sacramento
Comissário de Polícia
Matrícula nº 701.329

Elke a abraçou e se segurou para não chorar. "Não era hora de demonstrar sentimento, era hora de eu ser louca, não deixar eles me afetarem", ela explicava.

Uma contrabandista adiantou o que aconteceria com a novata: Elke seria interrogada ainda naquele dia, 27 de fevereiro. E ela pôde se preparar para a entrevista. "Eu não podia fazer sentido. E arrasei." Pegou o lápis verde de olho e borrou as pálpebras até o meio da testa. Fez com o batom uma boca como a do Coringa, do Batman. Usou outro batom como ruge.

Chegou à sala de interrogatório, onde oito homens a esperavam, com o que chamava de "cara de louca varrida". Perguntaram por que ela havia rasgado o cartaz. Ela respondeu que conhecia Stuart porque era modelo famosa.

"E por que você disse que era irmã dele?"

"A gente era próximo. Como irmãos."

"Você tinha um caso com ele?"

Ela gargalhou e explicou que não, que eles eram companheiros de cantoria e adoravam uma moda de viola. Levantou-se e começou a cantar "O trem tá feio", de Pena Branca & Xavantinho:

Meu facão guarani
Quebrou na ponta
Quebrou no meio
Eu falei pra morena
Que o trem tá feio

Elke contava que os policiais não souberam o que fazer com sua cantoria. E continuaram o interrogatório como se nada de anormal tivesse acontecido. Perguntaram se ela lia Karl Marx ou outros pensadores socialistas. Ela gargalhou e falou com voz terna, voltada para um deles: "Legal mesmo é ler Sócrates. Você tem cara de quem já leu Sócrates, não leu?". O policial para quem ela estava olhando respondeu que nunca tinha lido nada do filósofo grego. Elke então emendou: "Está em tempo, ele é ótimo! Ele foi condenado à morte por cicuta. Cicuta é um veneno, né? E vocês, vão me condenar a quê?".

O interrogatório durou horas, contava ela, e só houve um momento de violência. "Teve uma hora que levei uma porrada, mas eu mereci. Juro que mereci." Eis o momento de tensão.

Um agente da ditadura disse: "As sujeiras vão aparecer".

Ela respondeu: "Eu vou me foder mesmo, vocês estão por cima. Qualquer merda que eu tenha vocês vão descobrir. E as que não descobrirem vão inventar". Tomou um tapa na cara. Foi a única violência que sofreu do regime militar.

É provável que Elke, como de costume, tenha adoçado a história e feito de sua prisão uma anedota de bar que arrancava gargalhadas. Ela já aprendera dentro da própria casa a transformar situações terríveis em piadas, como fazia seu pai quando era questionado sobre os seis anos que passou em um campo de concentração na Sibéria.

Mas Elke sabia do risco que correu. "Ainda bem que demos boas risadas, porque senão eu era mais uma vítima pra gente chorar", ela comentaria o resto da vida.

Um caso para ilustrar como eram tratadas muitas das prisioneiras políticas naquele tempo é o da professora de história da UFRJ Jessie Jane, que foi presa em 1970: "As torturas foram tudo que você pode imaginar. Pau de arara, choque, violência sexual, pancadaria generalizada. Quando chegamos lá, tinha um corredor polonês. Todas as mulheres que passaram por ali sofreram com a coisa sexual. Isso era usado o tempo todo", ela contou à revista *Época*.

Enquanto isso, o marido de Elke, Alexandros Evremidis, procurou o consulado alemão para pedir que eles intercedessem a favor da presa política. Oficialmente, o cônsul afirmou que havia pouco a ser feito, já que Elke não era cidadã alemã, por mais que sua mãe tivesse nascido na Alemanha.

Mas tanto Alexandros quanto Elke afirmam que funcionários do consulado foram visitar Elke e conversaram com o delegado do Dops.

É impossível dizer se Elke foi solta por causa do personagem que interpretou durante a semana presa, em que ainda promoveu um chá dançante com as presas, se sua libertação passou pela influência do cônsul alemão e do delegado amigo que se responsabilizou por ela, ou se o regime constatou que ela não era uma subversiva. Mas o fato é que seis dias depois de ter sido presa no aeroporto Santos Dumont, Elke Evremidis foi liberada.

Mas Elke saiu do Dops incompleta. A polícia ficou com seus documentos. Semanas depois, Elke estava no salão de beleza de Silvinho, em Ipanema, quando Verinha, a ajudante do cabeleireiro, avisou que havia um senhor que queria falar com ela. Elke saiu para a rua de bobs no cabelo para se deparar com um homem calvo e de óculos escuros, debruçado num Fusca. Quando contava essa história, Elke se referia a ele como um policial à paisana.

"Eu estou com seus documentos", ele disse, e mostrou uma pasta.

"Muito obrigado de o senhor ter trazido."

"Eu trouxe, mas tem um custo pra você recuperar esses documentos."

"Mas é dinheiro?"

"A gente podia combinar."

Elke foi até o ouvido dele e sussurrou: "Olha, meu filho, eu não vou pagar por uma coisa que por direito é minha. Então enfia meu documento no seu cu. Tá bom?".

Elke, assim, ficou sem documentos. Viajou duas vezes para a Europa com um passaporte da ONU, de capa amarela, concedido a perseguidos políticos e refugiados sem pátria. "Ninguém quer receber um apátrida, é medonho." Numa das viagens,

ficou oito horas numa salinha do aeroporto de Paris, esperando que decidissem o que fazer com ela. Mas, além de ser uma chateação, ser apátrida tinha uma força histórica para a modelo. "Eu acho que tenho de ser apátrida. Foi um apátrida que me pariu."

Um detalhe que Elke omitia quando contava sobre sua passagem pelo Dops é que sua carteira de identidade era válida até 22 de fevereiro de 1970. Ou seja, quando ela foi presa, em 1972, o documento já estava vencido havia mais de dois anos. Ela estava apátrida no momento da prisão.

Não há nenhum registro oficial de que Elke tenha sido proibida de pedir a renovação do documento ao Instituto de Identificação. Ou seja: é provável que ela tenha optado por se tornar apátrida, seja por medo de que o Estado fosse negar a renovação de sua cidadania, ou por opção política.

Mesmo porque, em 1979, ela decidiu ficar sem cidadania brasileira. Nesse ano, ela teria tido direito a apagar a passagem policial de sua ficha. A Anistia, aprovada pelo presidente João Batista Figueiredo, revertia as punições aos cidadãos brasileiros que, entre os anos de 1961 e 1979, foram considerados criminosos políticos pelo regime militar. Mas Elke acreditava que a anistia era confessar uma culpa que ela nunca sentiu. "Eu tenho culpa por que rasguei cartaz? Ah, vai se foder!"

Em 2012, quarenta anos depois da prisão, os papéis de Elke reapareceram. Lúcio de Castro, um dos jornalistas esportivos mais premiados do país, estava no Arquivo Público do Estado do Rio de Janeiro e se deparou com os documentos de Elke.

Castro publicou em seu blog no site da ESPN: "Te liguei, tentei falar contigo... Queria te contar, Elke: guardei as referências, o número e os dados da pasta. Vai lá no arquivo. Resgata o que a arbitrariedade de um tempo absurdo te tomou. Acima de tudo, resgata a memória de um momento seu que valeu um filme e vale muito mais. Guarda esse pedacinho de vida contigo com imenso orgulho".

Elke, entretanto, jamais voltou para retomar seus documentos. Já na década de 1990, ela conseguiu um passaporte alemão, que chamava de confortinho. "Não preciso de visto pra entrar em lugar nenhum", disse em 2015. Mesmo que tenha ficado sem documentos por anos, Elke nunca ficou sem pátria. "Eu sei que sou brasileira, não é um papel que vai dizer isso, bobinhos. Eram uns coitadinhos esses meninos do Dops."

1972

Às oito da noite de 4 de junho de 1972, a tela da Rede Globo mostrava em close preto e branco o rosto do apresentador mais famoso do Brasil. Abelardo Barbosa estava chamando os jurados do *Buzina do Chacrinha*, que decidiam se os cantores calouros iam para o trono ou seriam expulsos do palco com um abacaxi como troféu de consolação. Quando chegou a hora do terceiro convidado da noite, ele disse: "Vamos receber... Elke!".

Entrou no palco do Teatro Fênix uma loira que, em cima do salto, tinha quase dois metros. A nova jurada estava com o cabelo frisado, batom tão vermelho quanto o vestido decotado e uma pinta do tamanho de um feijão na bochecha esquerda, feita com lápis de olho. A plateia de 120 pessoas bateu palmas para a novata, apresentada com um só nome. Ela entrou batendo palmas para si mesma. "Eu estava zero nervosa. Estava achando tudo maravilhoso."

Nessa época, Elke estava sem sobrenome. Tinha se separado de Alexandros Evremidis havia poucos meses e não sabia se voltava a pôr nos documentos o sobrenome familiar, Grünupp, que sempre precisava ser soletrado. Foi apresentada com um nome só. Mas em questão de meses ganhou um sobrenome artístico.

Em sua primeira participação no programa *Buzina do Chacrinha*, Elke estava com as mãos cheias de anéis que tinha trazido da Europa. Mas levava um acessório a mais. Carregou para o palco a buzina de um riquixá, as motos com capota que são meio de transporte comum no Sudeste Asiático, onde são chamadas de *tuk-tuk*. Dizia que, sem saber muito bem quem era o Chacrinha, ouviu de um amigo que ele era um velho palhaço que tocava uma buzina na TV. "Tinha um amigo que tinha acabado de voltar da Índia, de onde ele trouxe essa buzina de *tuk-tuk*. Pedi emprestada."

A presença de Elke devia ser apenas uma participação no show. Era comum ter um representante do mundo da moda na bancada de jurados. Passavam pelo Chacrinha nomes como o estilista Clodovil Hernandes, que com o tempo acumularia a profissão de apresentador de TV, e Dener. Também as socialites davam seus palpites, como Beki Klabin, que se apaixonou pelo cantor romântico Waldick Soriano quando ele se apresentou no palco.

Mas Elke fez mais do que ser um rosto bonito na bancada. Quando o Chacrinha buzinava para fazer com que o calouro ou a caloura parasse de cantar, ela buzinava junto. "Eu não sabia o que estava fazendo. Ele buzinava de um lado, eu buzinava do outro. Foi uma farra! Eu nunca tinha visto o programa até estar no programa." Mais uma vez, Elke narrou um acontecimento de sua vida como obra do acaso. Mas é provável que sua entrada na TV tenha sido mais arquitetada que isso, e que tenha partido de sua vontade.

Ela contava que foi convidada. "Me ligaram falando 'Você quer participar do programa do Chacrinha?'. Eu já tinha ouvido falar dele, lido a seu respeito no jornal, mas nunca tinha visto o programa. Meu pai não deixava a gente ver televisão", Elke contou por décadas. Os irmãos Grünupp dizem que a televisão era liberada à vontade, quando eles ganharam dinheiro suficiente para ter uma televisão, em Porto Alegre. Além do mais, Elke já morava sozinha havia anos quando começou a participar do programa. E, mesmo que de fato nunca tivesse visto o programa na TV, quem fez sua maquiagem e seu cabelo antes de ir ao ar foi Silvinho, o cabeleireiro das celebridades, que fazia pontas de jurado no mesmo programa.

Além disso, Elke não era uma novata na TV. Nessa época, já aparecia no horário nobre algumas vezes por semana. Só em 1972, ela fez ao menos dois comerciais veiculados em todo o Brasil, e em ambos já explorava sua imagem e atuava.

Na propaganda das toalhas Santista, Elke saía de um carro, num vestido de cetim e um boá de penas. Um repórter se aproximava dela com um microfone em riste e dizia: "E chega a deusa do cinema! Meu bem, diz para os nossos ouvintes por que você é tão enxuta?". Elke ria e dizia: "É muito simples, meu bem, uso as novas toalhas Santista".

O segundo anúncio era da Duraplac, uma linha de revestimentos da Duratex. No vídeo, um pedreiro terminava de instalar a placa na parede enquanto era observado pelo chefe. O funcionário avisava que tinha acabado de colocar o azulejo. E o chefe se virava para a câmera: era um homem em roupas justas fumando um cigarro, uma caricatura de homossexual afeminado. O funcionário da obra avisava ao chefe: "Seu Clô, o primeiro toc-toc é do senhor. Faça um pedido". O homem levava o dedo à boca, pensando. Batia três vezes na parede e era transformado por mágica em Elke, que saía de uma nuvem de fumaça com as mesmas roupas que o homem estava usando. E dava uma gargalhada. O locutor então dizia: "Duraplac dá sorte".

Outro indício de que a ida à TV foi de caso pensado é que a primeira sala que Elke visitou na Globo não foi o estúdio, como sempre narrou. Dias antes de pisar no estúdio, a modelo loira entrava na sala do diretor de operações da TV Globo. "A Elke me procurou pretendendo ser jurada do Chacrinha", diz José Bonifácio, o Boni, que durante as décadas de 1970 e 1980 era o homem mais poderoso do canal, depois de seus donos.

Segundo Boni, Elke conhecia um dos produtores do Chacrinha, o jornalista Haroldo Costa, e perguntou a ele se não poderia participar do programa. Não se sabe se o pedido partiu dela ou se foi sugestão de Alexandros, como o começo da carreira de modelo. É pouco provável que tenha sido o marido porque, quando Elke estreou no Chacrinha, ela já estava se separando. O divórcio foi amigável. "A gente percebeu que não era hora de estar casado. Os dois tinham mais coisa pra viver", dizia ela, que pelo resto da vida foi amiga do primeiro marido, ao qual inclusive levava para jantares com seus namorados seguintes.

O que se pode afirmar é que Elke procurou a carreira televisiva. É o que garantem Boni e outros dois funcionários da Globo da época, e não o contrário, como ela sempre contou. "O importante é que [a contratação de Elke] não foi busca, foi acidental. Nós não procurávamos calouros ou jurados pro Chacrinha, mas éramos procurados por candidatos que encaminhávamos ou não de acordo com nossa avaliação", diz Boni. Antes de ir para o palco, Elke foi avaliada pela chefia da Globo. E aprovada.

Mas, se a estreia foi de fato a primeira vez que Elke viu um programa do Chacrinha, deve ter sido uma primeira impressão e tanto. O palco do show era um circo cheio de pessoas fantasiadas, mulheres dançando de maiô, um boneco gigante do apresentador e placas com mensagens e trocadilhos como "Alô, dona Chiquita, como está sua periquita?" pendurados por todo canto. O Chacrinha exigia que a cenografia fosse pintada toda semana. Cada programa custava cerca de 6 mil cruzeiros, o que na época era equivalente a vinte salários mínimos. A cor havia chegado à televisão brasileira no começo do mesmo ano, em 1972, com a transmissão da Festa da Uva de Caxias do Sul. E Elke, que era uma artista para se ver a cores, se beneficiou da nova tecnologia.

A jurada estreante superou as expectativas já no primeiro programa. "Ela era uma comediante espetacular", diz Boni. Elke saiu da gravação feliz, mas com os bolsos do vestido vermelho vazios. Não ganhou um centavo pela participação. "O Chacrinha não pagava jurados em geral. Mas os fixos faziam alguns programas de teste e depois recebiam", explica Boni.

Quando o *Buzina do Chacrinha* acabava, o apresentador não ia para casa. Fazia uma reunião com a equipe para dizer o que tinha funcionado naquele episódio e o que não deveria ser repetido. O Chacrinha saiu do palco pedindo mais Elke. Os produtores concordaram que ela atiçava a plateia. Perguntaram se ela voltaria na semana seguinte: ela disse que sim.

O fato é que Elke estava apaixonada pelo programa. "Parecia uma feira livre televisionada. Eram duas horas de puro Brasil." Já nessa primeira gravação, ela tinha resolvido que gostaria de trabalhar no programa. Decidiu isso quando um assistente de palco jogou um saco de farinha para a plateia e ele estourou na cara de uma mulher idosa, que sorriu mostrando que não tinha os dois dentes da frente. Elke contava que naquele momento teve uma epifania. "Meu Deus, eu sou isso aqui. É gente boa, é gente desdentada, é gente bonita, é gente corrupta, é rock 'n' roll, é brega, é tudo junto. É essa salada brasileira. É isso que eu sou." Pela primeira vez na vida, Elke sentiu que pertencia a um emprego, depois de ter tido mais de uma dúzia de funções.

"Aquilo era um circo. E eu sempre amei o circo." Parte do elenco, inclusive, tinha vindo do picadeiro. O assistente de palco Russo, por exemplo, tinha sido trapezista antes de começar a trabalhar com comunicação. Quando era adolescente, caiu do trapézio e perdeu todos os dentes. Russo fez história na TV brasileira ao trabalhar no canal por quase cinquenta anos. Foi assistente de palco de Xuxa, Faustão, Angélica e Luciano Huck, depois de trabalhar com o Chacrinha. Mas ficou famoso primeiro por ser um palhaço no circo televisivo de Abelardo Barbosa. O circo que gostou de Elke.

Na semana seguinte, Elke voltou e se sentou para conversar com Russo. Foi ele quem a aconselhou antes de entrar no ar: "Quando o Chacrinha esquecer o nome de alguém, você começa a gritar, faz piada. Assim ninguém vai perceber". E ela dizia que adotou essa dica para o resto de sua vida televisiva. A segunda participação da jurada foi um sucesso. Convidaram Elke para uma terceira, em que ela também se saiu bem. Depois de o terceiro programa ir ao ar, às dez e pouco da noite de um domingo, Elke puxou Haroldo de canto e perguntou: "Vem cá, será que não rola um cachê, não?". Exato um mês depois de fazer sua participação no *Buzina do Chacrinha*, Elke era contratada. Ganhava o equivalente a quatro salários mínimos, um a cada programa do mês.

Em pouco tempo Elke se tornou uma estrela nacional. Ou quase. A Globo, nessa época, era transmitida para quatro estados do Brasil: Rio de Janeiro, São Paulo, Minas Gerais e Paraná.

Além de aparecer na TV, Elke também estava nos cinemas quando começou no Chacrinha. Em julho de 1972 estreou o longa *Quando o Carnaval chegar*, de Cacá Diegues. O filme conta a história de três cantores, interpretados por Chico Buarque, Maria Bethânia e Nara Leão. Elke interpretava uma turista francesa sem pudor que tenta dar um golpe na trupe. Diz que foi um dos poucos momentos de sua vida em que ficou impressionada com a presença de estrelas. "Eu tremi quando vi o Chico, a Bethânia e a Nara. Eles eram maravilhosos. Ainda são." Mais tarde, Elke voltou a trabalhar com Cacá. Em 1976, ganhou um papel maior num filme de grande sucesso, *Xica da Silva*.

Mas a TV foi a base de sua carreira. Já nos primeiros programas, Elke criou um apelido para o Chacrinha. Começou a se referir a ele como Painho, e a pedir sua bênção toda vez que entrava no palco. Às vezes se ajoelhava para beijar a mão do apresentador. "Ele era nordestino. E lá eles não falam 'paizinho'. Falam 'painho'. E ele era um pai, cuidava de todo mundo, e cuidava muito de mim. Por isso ele era meu painho."

Ela mesma ganhou um novo nome já no primeiro ano do programa. O colunista Daniel Más, que escrevia sobre sociedade no jornal *O Globo*, viu o filme e um programa do Chacrinha e deu a Elke o sobrenome artístico que ela usaria pelo resto da vida. "Ele disse que eu era uma maravilha. Uma maravilha de apreciar com a boca fechada, mas também com a boca aberta", contava Elke. "E todo mundo começou a me chamar de Elke Maravilha."

A revista *Veja* de 18 de outubro de 1972 dedicou duas páginas à dupla Elke Maravilha e Pedro de Lara. Desde seu primeiro dia, Elke se sentou ao lado de Pedro, um homem menor do que ela, de terno e com um cabelo seboso preso num rabo de cavalo. Nascido em Bom Conselho de Papacaça, em Pernambuco, numa família com 21 filhos, Pedro Ferreira dos Santos foi faxineiro antes de se mudar para o Rio de Janeiro, com dezesseis anos de idade. Começou na carreira artística escrevendo peças religiosas, como *Sagrada Luz*, que foi montada uma só vez, no subúrbio de Madureira. Vendia cocadas e doces nos trens da Central do Brasil. Na época em que conheceu Elke, ele tinha três programas de rádio no Rio de Janeiro: *Justiça do Povo*, em que narrava histórias policiais; *Sonhos*, em que interpretava os sonhos dos ouvintes; e *Tribunal do Lara*, em que fazia a vez de mediador de conflitos entre amigos ou familiares. Além de tudo isso, Pedro também era o jurado ranheta do Chacrinha, que vivia brigando com Elke.

A reportagem da *Veja* começava: "Ele é o defensor da moral e da família. Ela, excessivamente maquilada, é uma sedutora, com todos os gestos e trejeitos que o papel exige. A ideia de apresentar uma dupla de contrastes tão estereotipados num júri de programa de auditório é o que se costuma chamar de uma das fórmulas óbvias do sucesso. Tão óbvia que realmente Pedro de Lara e Elke são no momento as maiores atrações da *Buzina do Chacrinha* (Rede Globo, domingo, 20 horas)".

A revista definia Elke como uma "manequim profissional, loira, ruiva ou morena, ao sabor das tinturas e da catequese dos cabeleireiros do Rio e de São Paulo, durante os programas, sempre debruçada sobre o próprio decote", e dizia que Pedro tinha "idade certa desconhecida" — mas perto dos 48 anos —, "cabeleira ao que tudo indica castanha, própria para anúncios de xampu antes do tratamento".

Em seu primeiro ano na TV, Elke começou a moldar seu estilo: era uma Poliana que encontrava algo de positivo mesmo no pior calouro. Se o cantor desafinava, ela falava "Mas você é um franguinho bem interessante", ou fazia algum outro comentário sobre sua aparência. Sempre votava a favor. E montava pequenos números para divertir o público e estender seus votos.

Em 12 de novembro de 1972, seu figurino tinha direito a um pano ao redor do cabelo, como uma dona de casa, e uma boneca, que ela chamava de filhinha. No meio do programa, Elke pegou o microfone numa mão, a boneca em outra e perguntou para a plateia: "Vocês não acham que ele deveria beijar meu bebê?". E a plateia começou a gritar: "Beija! Beija! Beija!". Pedro fez cara de nojo e empurrou o brinquedo para longe. A plateia não parou de gritar. Elke foi para trás de Pedro de Lara e, enquanto empurrava a boneca de um lado do rosto dele, aproximou o seu do outro lado e meteu-lhe um beijo na bochecha. A plateia veio abaixo, a ponto de o Chacrinha ter de parar de falar com o calouro para esperar os risos baixarem.

A cena é descrita a partir de fotos dos programas e das memórias de Elke, de Boni e de outras pessoas que estavam presentes, já que a temporada de 1972 do *Buzina do Chacrinha* não existe nos arquivos da TV Globo.

Em público, Elke e Pedro de Lara encenavam uma rusga que não existia na vida real. Na reportagem da *Veja*, Pedro dizia de Elke: "É uma exibicionista, tão vazia como uma garrafa sem líquido e rótulo". Em troca, Elke disse que ele era: "Sensacional. Ele assume diante do Brasil as palhaçadas que diz. É um louco que fala, fala, mas no fundo não deve acreditar no que diz".

A crítica da *Veja* era favorável ao número que os dois interpretavam. Dizia o texto da revista: "Ela, maliciosa, ele, irascível — o script não é extremamente original, mas atinge o alvo". Essa parceria depois virou uma amizade, sobreviveu por quase três décadas e foi mostrada em três canais abertos. Mas a primeira temporada dos dois durou pouco. Em 3 de dezembro de 1972, o Chacrinha se desentendeu com Boni. Depois de ter excedido seu horário em quatro minutos — eram 22h04 e ainda havia três calouros para se apresentar —, o programa foi tirado do ar por Boni. O apresentador ficou fulo, quebrou o camarim e disse que não voltaria para a Globo.

A biografia do Chacrinha, escrita por Denilson Monteiro, conta que, depois de sair da Globo, ele foi à churrascaria Carreta.

Em outra mesa estava o diretor da TV Tupi, José Arrabal. Na mesma noite em que pediu demissão, o Chacrinha já tinha uma nova proposta de emprego. Mas não levou Elke junto. Alegou que não teria verba para ter jurados contratados. "Eu queria ir junto, mas o Painho me disse pra ficar. Que eu precisava pensar no meu sustento." E Elke ficou na Globo. Foram menos de seis meses como jurada do *Buzina do Chacrinha*.

Os dois voltaram a trabalhar juntos na Globo depois de uma década, quando o *Cassino do Chacrinha* estreou, em 1982. Mas o programa nunca seria uma anarquia do mesmo tamanho. O padrão Globo de qualidade, que persiste até 2021, foi criado em parte por causa do Chacrinha. Ou melhor, para acabar com a zona que era o programa do Chacrinha. A zona na qual Elke se encontrou numa noite de domingo de 1972.

1972

Ciro Barcelos entrou num prédio na rua Santa Clara, a dois quarteirões do mar de Copacabana. O gaúcho de dezenove anos e cabelos compridos tinha chegado ao Rio de Janeiro meses antes, no meio de 1972, com uma montagem do musical *Hair* em que atuava, dançava e cantava ao lado de Sônia Braga.

Ciro subiu até o mezanino do prédio, uma sala do tamanho de um apartamento de três quartos, e encontrou várias pessoas em pé. A única pessoa que estava no sentido contrário, encarando todos os outros, era um homem careca com corpo de estátua grega, mas a mobilidade de um boneco de borracha.

Estava prestes a começar uma aula de dança. O professor era Lennie Dale, um dos bailarinos mais importantes que o Brasil já teve. Segundos antes de a aula começar chega uma loira alta, com o cabelo coberto por um lenço de malha vermelho.

Era Elke. Não que Ciro a conhecesse. "No período em que a gente estava fazendo a aula, eu não sabia quem ela era. Nem que era da TV", diz Ciro.

Durante meses, Ciro e Elke frequentaram a escola de dança Eugenia Feodorova, comandada pela bailarina ucraniana que veio para o Brasil cinco anos depois de Elke, para ser mestra coreógrafa do Theatro Municipal do Rio. Mas os dois não estavam ali para ter aulas com Feodorova, que ensinava balé clássico, e sim para aprender com um dos dançarinos mais modernos do mundo.

Nascido no Brooklyn, em Nova York, Lennie já havia viajado pelo mundo e coreografado filmes para Elizabeth Taylor. Lennie veio criar um espetáculo para a boate Fred's e se apaixonou pelo Brasil. Decidiu ficar.

Foi Lennie quem ensinou Elis Regina a dançar usando mais os braços que o tronco, e que gravou a música "O pato", um sucesso da Bossa Nova. Elke sempre disse que dançava como uma pata, e mais faltava às aulas do que ia, mas quando aparecia, fazia questão de comemorar. Saía para beber com o professor e os colegas, e logo se aproximou dos amigos de dança mais que dos colegas da TV, onde começava a ganhar fama.

Outro amigo que ela fez nessa época foi Wagner Ribeiro, artesão e artista de quem ela comprava cintos na feirinha hippie de Ipanema. Elke começou a encomendar figurinos para Wagner, como fez com dezenas de estilistas ao longo da vida, e a frequentar seu ateliê, numa casa sobre um morro de Santa Teresa.

Nas tardes de semana, Elke ficava horas papeando enquanto Wagner cortava couro e costurava os recortes em vestidos e saias que ela usaria no ar. A casa tinha uma vista para a baía da Guanabara, e os dois passavam horas olhando a paisagem e fumando baseado.

Numa das tardes que passou com Wagner, Elke fez um convite: tinha sido contratada para se apresentar num clube de Niterói e queria que o artesão participasse de um número musical com ela.

Era um dos primeiros shows de Elke, a celebridade televisiva. No palco do salão do Praia Clube São Francisco, ela cantava, contava causos, brincava com a plateia e montava um show de calouros improvisado. Mas, ainda insegura de como seguraria o público pela hora prometida em contrato, ela arregimentou os amigos.

Chamou Ciro, da aula de dança, e Wagner, o amigo artesão de Santa Teresa. Além dos dois, que não se conheciam bem, ainda descolou amigos de amigos, como Paulo Bacellar, Bayard Tonelli, Cláudio Gaya e Roberto de Rodrigues. Todos eles formariam em breve os Dzi Croquettes, um grupo que revolucionaria a dança no Brasil, mas naquela noite ainda não tinham um número nem eram amigos. "A gente ainda não estava preparado", diz Ciro.

Mas Elke estava animadíssima com a possibilidade de dividir o palco com a homarada. Levou para o camarim uma mala de roupas e maquiagem, que distribuiu para todos. "O primeiro batom vermelho que botei na boca ganhei da Elke nesse dia. Ganhei uma camisola branca que eu usei em todos os shows que fiz em Paris", conta Ciro. Os dançarinos montaram o figurino com as roupas que ela usava: anáguas, maiôs, vestidos de malha. "A gente improvisou aquilo sob o olhar dela."

No meio do show, entrou um plantel de oito homens usando as camisolas e pintados com as maquiagens de Elke. Juntos, os nove cantaram "Beijinho doce":

Que beijinho doce
Que ela tem
Depois que beijei ela
Nunca mais amei ninguém

Terminada a música, cantada em falsete, o público fez um silêncio ensurdecedor. Depois veio abaixo com palmas e berros, lembram as pessoas que fizeram parte do número.

O grupo continuou se encontrando sem Elke. O dançarino Lennie passou a ser uma espécie de líder da trupe, que começava a escrever repertório próprio e a ensaiar passos de dança. Mais de uma vez, Elke os ajudou com o figurino e com a maquiagem. Em agosto de 1972, meses depois da estreia televisiva de Elke, nasceram na Lapa carioca os Dzi Croquettes.

O grupo contestava o Brasil estética e politicamente. "Se fosse só uma coisa que trouxesse alegria, amor, aí eu não tô dentro", ela disse no documentário *Dzi Croquettes*. Num dos shows, Roberto de Rodrigues aparecia vestido de freira. Cantava "Les Frères Jacques" enquanto ia fazendo um striptease e, debaixo do hábito, surgia um par de seios postiços e um sino entre eles, que badalava a cada rebolado. E Elke se encantou por Roberto.

"Ele era negro e eu, esse bicho de goiaba. As pessoas não entendiam muito bem", diz Elke no documentário. Quando ela estava em cima do salto, ele batia no meio de seus peitos. Era raro um dia em que Elke não ouvisse a pergunta: "Você está namorando um gay?". Ela balançava a peruca para a frente e para trás, confirmando, e perguntava: "E qual é o problema? Primeiro vem a cabeça, uai, depois vem o resto".

Além disso, os dois formavam um casal interessante para quem olhava de fora. "Ele era um Dzi Croquette, o que a instigou mais ainda. Essa coisa de ela estar com um Dzi Croquette na época devia ser muito interessante", diz Ciro.

A casa de Wagner em Santa Teresa virou o quartel-general do grupo e foi apelidada de Embaixada de Marte, porque seus moradores tinham um ar tão exótico que eram chamados de marcianos. Elke continuava frequentando o lugar e ia a todos os shows dos Dzi que conseguia.

Toda vez que via uma apresentação, Elke dizia aos amigos: "Se mandem, crianças! Isso aqui é pouco pra vocês, vocês vão estourar lá fora". Parecia uma profecia. Dois anos depois de nascer, os Dzi Croquettes foram exilados.

Em setembro de 1974, o grupo partiu para a Europa. Passaram por Portugal antes de chegar a Paris, onde abriram uma temporada que foi vista por Liza Minelli, então a atriz mais famosa do mundo, pelo estilista Valentino e pela modelo

Veruschka. Em 1976, os Dzi Croquettes voltaram. Mas logo Lennie Dale abandonou o grupo, que deixou de existir. Nos anos seguintes, três dos integrantes foram assassinados. Cada Croquette seguiu sua vida, mas alguns deles ainda encontravam Elke em funções sociais.

Na década de 1990, Ciro e Elke voltariam a se ver com frequência. Mas na vida real, e não no palco. Os dois moravam na rua Gustavo Sampaio, no Leme. E era comum a musa se encontrar com o bailarino passeando com sua filha pequena. Quando encontrava com Ciro, pegava a criança no colo e dizia "É minha croquetinha!".

Em 2013, quando o grupo fez um revival, ela foi visitar os ensaios na Fundição Progresso. Adorou o que viu. Ciro conta que, durante os ensaios, se um número de dança estava menos animado que o planejado, ou se um bailarino não estava com um sorriso que rasgasse o rosto de orelha a orelha, ele gritava: "Mais Elke Maravilha! É Elke Maravilha que a gente quer!".

1973

Em 26 de março de 1973, o Brasil inteiro conheceu a imagem de Elke Maravilha. Ou melhor, a imagem de Elke atuando como uma modelo chamada Sofia. Menos de um ano depois de sua estreia na TV Globo, Elke tinha um contrato assinado com a TV Tupi e a oportunidade de brilhar numa novela: ela foi convidada a atuar em *A volta de Beto Rockfeller*, que era a continuação da *Beto Rockfeller*, exibida quatro anos antes com um sucesso inédito para o canal.

Por mais que no começo da década de 1970 ela já fosse a jurada mais famosa do *Buzina do Chacrinha*, o novo emprego era um salto de público. A Globo só era transmitida para quatro estados do Brasil, enquanto a Tupi chegava a 21.

A produção era a grande aposta da TV Tupi. Foi a primeira vez que uma novela brasileira gravou cenas fora do país. A equipe viajou a Roma, onde o protagonista, Luis Gustavo, atuou com locais em pontos turísticos como a Via Veneto e a Fontana di Trevi. E os capítulos de dezesseis minutos eram exibidos de uma só vez, sem comerciais, porque eram patrocinados por uma marca de roupas. Elke estreava na dramaturgia do horário nobre numa das novelas mais caras da época.

A personagem, Sofia, era uma versão televisiva de Elke. Sofia era uma modelo que se apaixonava pelo protagonista e usava sua sofisticação para ajudá-lo. Assim como Elke, ela falava várias línguas. Assim como Elke, ela tinha viajado pelo mundo. Assim como Elke, ela fumava como uma chaminé. Assim como Elke, ela usava roupas de estilistas famosos.

A personagem era tão baseada em Elke que a atriz tinha liberdade de adaptar suas falas. "Não tinha texto, falava o que eu queria", ela disse ao jornal *O Povo* em 2007. Mas o novo trabalho não era tarefa fácil. "Me põe num palco como Elke que eu tiro de letra. Agora, me pede pra interpretar um personagem que fica mais complicadinho", diria ela, que ganhou prêmios por atuação e participou de mais de uma dúzia de novelas, um punhado de peças no teatro e dez filmes. A atriz Elke suava frio antes de entrar em cena e por vezes lavava o nervosismo com uma dose de uísque.

Seu nome já aparecia como Elke Maravilha nos créditos de abertura da novela e vinha antes do nome de Pepita Rodrigues, que depois se tornou uma das maiores atrizes do Brasil. E ela trabalhou com outros nomes que entraram para a história da dramaturgia nacional.

"O elenco é maravilhoso: Luis Gustavo, Odete Lara, Plínio Marcos, Raul Cortez, Elaine Cristina, Teresa Sodré, só para citar alguns." O nome de Elke não constava no texto do anúncio da nova novela da rede Tupi, publicado na revista *Amiga* de 6 de março de 1973. Mas, na foto de página, era ela quem estava sentada no espaldar da poltrona do protagonista.

Em 2 de abril de 1979, a revista *Fatos e Fotos* veiculava uma fotografia de página inteira com a manchete: "Bicão cai na de Elke: Beto não toma jeito. Continua paquerador e querendo namorar todas as mulheres que encontra. Agora, está dando em cima da Elke, a maravilha. Um caso de novela".

Só que a novela saiu pela culatra, e foi um fracasso. O plano inicial era que fossem trezentos episódios. A falta de audiência fez que tivesse menos de duzentos episódios, e a novela acabou em novembro de 1973 sem que muita gente notasse que tinha começado, disse uma crítica do *Jornal do Brasil* da época. Não foi a chance de Elke estourar como atriz.

Mas lhe rendeu muita publicidade. Tanto que, quando terminaram as gravações, surgiu um convite para Elke voltar a fazer o que ela fazia de melhor: julgar artistas na TV. No começo dos anos 1970, Silvio Santos já era um gigante da TV. Tinha um programa que ia das 11h30 às 20h. O *Programa Silvio Santos* ocupava oito horas e meia dos domingos da Globo. E ele ainda exibia outra atração na TV Tupi.

Além de ter um horário que equivale a quatro *Domingões do Faustão*, Silvio tinha plena liberdade para fazer o que quisesse em seus programas. Comprava horários na Globo e na TV Tupi, e produzia os próprios programas usando só as câmeras das emissoras.

O programa exibia entrevistas de uma hora, reportagens, números musicais e shows de humor de artistas como Ary Toledo. Mas, naquele momento, apostava mesmo em competições de talentos. Já fazia dez anos que Silvio tinha um quadro de jurados chamado "Cuidado com a buzina", mas na metade da década de 1970 a atração era a menina dos olhos do apresentador.

Foi por isso que Silvio sondou Elke, que aceitou participar do programa por um pagamento similar ao do Chacrinha, cerca de um salário mínimo por apresentação. Mas Elke não se adequou ao novo programa. "Eu não gostava de como ele tratava os calouros. O Chacrinha fazia graça, mas tinha carinho, sabia que aquilo era importante pra essas pessoas", disse.

Havia também uma diferença ideológica entre Silvio e a jurada. Silvio Santos tendia a ser a favor de todo e qualquer governo que estivesse no poder. Elke Maravilha tendia a ser contra. O programa inclusive homenageava os presidentes da ditadura. Mauricio Stycer conta, na biografia *Topa tudo por dinheiro*, que Silvio usava a mesma música que anunciava os jurados para acenar para os militares.

Ao ritmo de "Cosa nostra", de Jorge Ben Jor, incitava a plateia a cantar: "O presidente Geisel... É coisa nossa!". Ernesto Geisel foi o presidente militar que governou o país de 1974 a 1979. Um chefe da mesma ditadura que havia prendido Elke dois anos antes e matado seus amigos. "Eu continuei trabalhando, por profissionalismo e porque precisava", disse ela, que morava sozinha e pagava as próprias contas. "Mas não foi o melhor período de trabalho da minha vida, não."

Em maio de 1974, a Tupi rescindiu o contrato com o Chacrinha. O apresentador saiu com seis meses de salário atrasado. E o canal não tinha dinheiro para pagar. Em 21 de setembro de 1974, ele estreou um programa de três horas nas noites de sábado da Record. E convidou Elke para trabalhar com ele.

Ela esperou dois meses até que seu contrato com Silvio vencesse e foi avisá-lo que estava saindo do programa. Menos de dois anos depois, em agosto de 1976, o Chacrinha deixou a Record e voltou à TV Tupi pela segunda vez. Então, ele negociou uma verba adicional para ter jurados contratados. Mas a mudança não deu muito certo. Narra a biografia do Chacrinha escrita por Denilson Monteiro que a situação financeira da TV Tupi era tão precária que os figurinos das chacretes tinham de ser feitos com cortinas velhas do estúdio. As botas até o joelho que elas calçavam tinham de ser compradas com o próprio salário, pouco maior que o salário mínimo.

Antes de uma gravação, em 1977, Edilma, a Rainha do Palmeiras, foi cobrar os salários atrasados do corpo de baile. Jorge, o filho mais velho do Chacrinha, que dirigia o programa, disse: "Tudo bem, eu uso o corpo de baile da Tupi". Não usou. Depois de um tempo, Edilma pediu demissão. Entrou no lugar dela uma bailarina do Theatro Municipal do Rio de Janeiro, chamada Rita de Cássia Coutinho, que ficou famosa em todo o país como Rita Cadillac.

    O programa do Chacrinha na Tupi durou até julho de 1978. Havia semestres em que Elke estava contratada. Havia vezes em que ela estava sem contrato e participava do programa voluntariamente. Mas, naquele momento, Elke já tinha outra fonte de renda: o cinema.

1975 e 1976

Elke e Zezé Motta se odiaram nas telas duas vezes. E se admiraram fora dela uma vida inteira. As duas atrizes nunca tinham se visto até entrarem no Hotel Pelourinho, uma casa amarela de portas verde-bandeira no centro histórico de Salvador, em 1975. Foi ali que descobriram que iam dividir o mesmo quarto de hotel por um mês. Estavam na cidade para filmar *A força de Xangô*.

As duas tinham trinta anos e também exerciam outras carreiras, além da de atriz: Elke era modelo e jurada, e Zezé era uma cantora que tinha conquistado alguma fama. Em pouco tempo, foram de desconhecidas a confidentes. "A Elke acordava todo dia, dava um suspiro, abria a janela, passava um batom vermelho e me dava um sorriso. Estava pronta pra começar. Era de um bom humor que eu nunca mais vi", diz Zezé Motta.

Zezé ainda não era uma estrela, enquanto Elke já era conhecida no país todo graças à televisão. Como a piscina e o restaurante do Hotel Pelourinho estavam em obras durante as filmagens, todas as refeições tinham de ser feitas na rua. E a notícia de que a jurada do Chacrinha estava na área se espalhou rápido.

Uma fila a cada dia maior se formava na porta do hotel. "Me carimba, Elke, me carimba", pediam as crianças e os jovens. O carimbo que eles queriam era a marca do batom de Elke num guardanapo ou na bochecha. "E todo dia, ainda de jejum, ela parava e atendia todas essas pessoas", lembra Zezé Motta. As duas passavam meia hora na porta do hotel, comiam e iam trabalhar.

O filme *A força de Xangô*, dirigido por Iberê Cavalcanti, era baseado num conto do pintor Carybé. Contava a história de um homem que se apaixonava por uma entidade. Elke interpretava Iaba, uma manifestação feminina de Exu, o orixá dos caminhos. Ela se apresentava como uma cigana que vivia de ler mãos, mas tinha um papagaio que falava 1 milhão de palavras e poderes que lhe permitiam controlar os homens. Zezé era Estrela no filme, uma cantora que percebia algo de errado com Iaba e tentava alertar os amigos. Também estava no filme Grande Otelo, com quem Elke tinha feito o primeiro filme de sua vida, seis anos antes.

"Foram filmagens bem difíceis", dizia Elke. O maior empecilho eram as várias cenas de sexo e nudez. Elke não gostava de ficar nua. Também teve dificuldade em reproduzir alguns textos mais pesados, como uma frase que tinha de gritar para Zezé: "Puta! Eu vou acabar com você, sua negrinha fedorenta!". Zezé era mais reservada, gostava de se concentrar para decorar o texto e entrar no personagem. Já Elke não parava de falar até o momento em que a câmera era ligada.

Mas se as filmagens foram puxadas, o clima nos bastidores era dos melhores. "A gente se divertia muito, aproveitava muito a cidade", diz Zezé. Certa noite, a equipe foi quase inteira a um show de Martinho da Vila. "Uns playboys da cidade perguntaram se a gente não queria ir dançar numa boate, depois do show", diz Zezé. Ela e Elke toparam.

Elke foi com um dos homens num carro esportivo, em que só havia dois lugares. Zezé seguiu com outros deles e chegou à boate em dez minutos. "A gente lá, esperando, e a Elke não chegava. E ela não chegava. E eu comecei a ficar preocupada." Depois de mais de uma hora, Zezé decidiu voltar ao hotel. Chegou quase junto com Elke, que contou o que havia acontecido.

O sujeito começou a passar a mão em sua coxa enquanto dirigia o carro. Elke tirava a mão dele. Em vez de dirigir para a boate, ele parou o carro na garagem de sua casa. Pegou Elke pelo braço e a forçou a subir. Já em casa, com a porta trancada, ele começou a arrancar sua roupa enquanto ela se debatia. Depois de se dar conta de que não ia ter força para fugir do estuprador, Elke tirou a roupa, se jogou nua na cama e disse: "Vamos! Mas vamos logo, que amanhã eu tenho que gravar cedo". Vendo a falta de resistência, o estuprador desistiu. E ela voltou andando até o Hotel Pelourinho. Pelo resto da vida, Elke contava essa história gargalhando.

Enquanto gravava esse filme, Zezé já sonhava com outro. Tinha feito meses antes um teste para atuar na próxima produção de Cacá Diegues. Na Bahia, comprava os jornais do Rio todos os dias para saber se tinha saído alguma notícia sobre o filme. Nada.

Depois que as filmagens acabaram, Zezé voltou para casa. Estava almoçando quando o telefone tocou, e ela largou o garfo para atender. Era um produtor chamado José Oliosi, que se apresentou ao telefone dizendo: "Boa tarde, Xica da Silva".

"Você está de brincadeira comigo", ela reagiu. Ele não estava. Zezé havia sido escolhida para ser a protagonista do filme sobre uma escrava que consegue conquistar a liberdade com seu próprio talento e esforço. Quando desligou o telefone, Zezé deixou a comida esfriando e começou a ligar para todos os amigos e familiares. Mas se esqueceu de Elke.

Dois meses depois, Zezé chegou a Diamantina, cidade histórica de Minas Gerais onde a maior parte do filme seria rodada. E deu de cara com Elke Maravilha na porta do hotel. Uma não sabia que a outra estaria no elenco de novo. As duas se abraçaram e pediram para ficar em quartos conjugados. "A gente ficou amigas para sempre."

Passaram Natal, Réveillon e Carnaval juntas, num total de três meses de filmagem. Elke interpretava Hortência, uma aristocrata racista que começa o filme maltratando a escrava Xica e passa a bajulá-la conforme Xica sobe na vida. "Era aquela coisa

Elke Maravilha. Me tratava mal no personagem e depois me enchia de beijos", ri Zezé.

Nas folgas da filmagem, Elke mostrava como conhecia bem o interior mineiro, já que tinha crescido ali. Levou a trupe à cachoeira do Sentinela e aos botecos do beco do Mota. "Eu sou uma boa guia, viu?"

Na véspera do Carnaval, alguém bateu na porta do quarto em que as duas estavam conversando, no Hotel Tijuco. "Duas senhorinhas de Diamantina [...] perguntaram se eu tinha alguma roupa pra emprestar pros maridos." Os homens, um professor e um reitor da universidade, queriam se fantasiar de Elke para o Carnaval. Elke e Zezé ajudaram a montar as fantasias e saíram juntas para a rua. "Foi animadérrimo. Jamais poderia imaginar que o Carnaval de lá pudesse ser tão bom", diz Motta. As duas atrizes se fantasiavam e saíam em blocos de estudantes universitários.

Elke beijou foliões. Teve um caso com Altair Lima, seu par no filme. E não só isso: também namorou um rapaz da cidade. "Um monte de gente me paquerava, tipo fazendeiros e empresários. Mas me apaixonei mesmo foi pelo cobrador de ônibus", disse.

Depois de três meses, o set foi desfeito, mas as duas nunca perderam o contato. O papel rendeu a Zezé fama mundial. Mais de 3 milhões de brasileiros assistiram ao filme no cinema, e a protagonista conquistou o prêmio de melhor atriz no Festival de Brasília, o prêmio Air France de Cinema, o prêmio Governador do Estado de São Paulo e o prêmio Coruja de Ouro.

Elke estava presente na premiação do Coruja de Ouro, que era entregue pelo Instituto Nacional de Cinema, no Centro do Rio. Estava usando um vestido verde-água decotado, uma gola de brilhantes no pescoço e duas pulseiras de strass que ocupavam quase seu antebraço todo.

Quando anunciaram que Elke tinha ganhado o prêmio de melhor atriz coadjuvante, ela se levantou de boca aberta. Seu discurso de vitória deve figurar entre os menos assertivos da história. Elke subiu no palco do Cine Palácio e disse: "Muito obrigada! E eu que nem me considero uma atriz... A gente faz umas participações em filmes e tal... Muito obrigada!". Na descida do palco, ela e Zezé se abraçaram e choraram.

A última vez que as duas estiveram juntas foi em julho de 2014, no dia em que o Brasil perdeu de 7 a 1 para a Alemanha na Copa do Mundo. Zezé fez uma caranguejada em sua casa, no Leme, e convidou Elke para assistir ao jogo com uns amigos. "Foi terrível!", lembra Motta. "Eu tomei um porre danado. A última coisa que eu lembro é de ela falando para o meu namorado, antes de ir embora: 'Você cuida bem dela, porque ela é muito especial'. Era isto que ela fazia comigo: cuidado. A gente cuidava uma da outra."

"Você já pensou na morte?" Aos 31 anos de idade, Elke ouviu a pergunta da boca de uma das maiores escritoras do Brasil. Clarice Lispector a convidou para tomar um café no seu apartamento no Leme e ter uma conversa que depois seria publicada na coluna que Lispector tinha estreado havia poucas semanas na revista *Fatos e Fotos*.

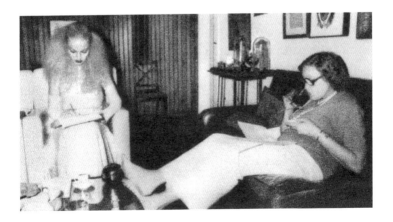

A coluna ressuscitava o ofício de entrevistadora de Clarice, que uma década antes havia assinado entrevistas para a revista *Manchete*. Nas suas conversas documentadas, Clarice intercalava personalidades como o psicanalista e autor Hélio Pellegrino e o galã de pornochanchadas Jece Valadão. Elke estava mais para o pop do que para o cult. Mas pode ter surpreendido com sua erudição.

Sobre a morte, Elke respondeu a Clarice: "Na morte? A morte é uma coisa muito presente. Quando eu era pequena eu tinha medo dela. Agora aceito-a como uma coisa absolutamente natural".

Em seguida, Lispector quis saber se a jovem loira e alta priorizava o amor ou o trabalho. Elke respondeu que o amor, e acrescentou: "O amor está ligado a tudo, sempre trabalhei com amor e é por isso que sempre me dei bem em todas as profissões que tive. Já fui bancária, secretária, professora, bibliotecária, tradutora".

A entrevista foi publicada em dezembro de 1976, e a foto em preto e branco em que Clarice toma uma xícara de café, com os pés descalços sobre a mesa, e Elke fuma um cigarro, com os cabelos frisados e um batom escuro, é um registro desse dia no Leme.

Um ano depois, em dezembro de 1977, Clarice deixaria para sempre o apartamento onde recebeu Elke. Na sua última década de vida, em 2010, Elke voltaria ao apartamento da rua Gustavo Sampaio, 88. Zezé Motta, por coincidência, se mudaria para o mesmo imóvel onde a escritora recebeu a modelo para falar sobre amor e morte.

1978

Em 1978, Elke diversificou suas apostas no cinema. Fez o filme mais comercial de sua carreira e o mais artístico. E ambos foram fracassos de público.

Toda vez que Elke olhava para um pôster de cinema que tinha seu nome em fontes colossais, e um desenho seu, vestida numa roupa colorida, dizia: "Isso foi uma brincadeirinha, uma bobagem". Ela estava falando de *Elke Maravilha contra o Homem Atômico*, único filme que levou seu nome no título. E que ela não morria de orgulho de ter feito.

O filme era um projeto do diretor Gilvan Pereira de fazer uma ficção científica infantojuvenil e engraçada. Até então, Gilvan era um roteirista de pornochanchadas que começava a se aventurar em comédias. Quatro anos antes, em 1974, tinha escrito *Robin Hood, o trapalhão da floresta*, o primeiro filme do quarteto de humoristas Os Trapalhões.

Gilvan convidou Elke para ser a estrela de seu próprio filme, por causa do apelo que ela tinha com o público jovem do Chacrinha. "Podia dar dinheiro", disse Elke, que se sentia amada pelas crianças desde que começou na carreira artística. "Sou odiada pelas pessoas mais velhas, que me xingam nas ruas, e amada pelas crianças, que me dão balas e chicletes", disse ela à revista *Veja* em 1972.

O filme foi gravado em menos de um mês, quase todo em estúdios em São Paulo, e tinha uma história simples. Tião, interpretado por Mário Petraglia, era um fotógrafo de jornal convocado a fazer uma matéria sobre o desaparecimento de pessoas. Descobria que quem estava por trás dos sumiços era um cientista maluco chamado dr. Kiriri, interpretado por Pedro de Lara. O cientista montou um laboratório num prédio abandonado e tentava mandar as pessoas para outras dimensões. Como sempre falhava, as pessoas viravam pó. Alienígenas notaram a tentativa e mandaram uma de suas melhores representantes para ver o que estava acontecendo. Essa extraterrestre, de vestido metalizado colorido e coque no cabelo, atendia pelo nome Elke Maravilha. Com a ajuda de Elke e seus superpoderes, que consistiam em efeitos especiais precários mesmo para a década de 1970, Tião derrotou Kiriri e resgatou as pessoas desaparecidas.

O primeiro filme solo da franquia Elke Maravilha era assumidamente mambembe. Tinha atuações de pastelão e fantasias de papel-alumínio. Mas o público não se interessou. O filme foi um fiasco de plateia. Elke brincava: "Só umas quinze pessoas viram. Ainda bem".

Depois do longa de Elke, Gilvan Pereira esteve à frente de projetos que levaram milhões de brasileiros ao cinema, como *Os saltimbancos trapalhões* e *Os trapalhões na Serra Pelada*. Mas o filme de Elke foi um soluço em sua carreira.

E as fitas do filme sumiram depois de ficar duas semanas de 1978 em cartaz. "Não existem mais cópias no Brasil, e rola a lenda de que as únicas inteiras estão com colecionadores na Europa", escreveu Marcelo Engster, curador da mostra Sci-Fi Brasil, de filmes de ficção científica. Engster tentou encontrar o filme para exibi-lo na Caixa Cultural, num evento que reuniu as mais exóticas produções brasileiras de ficção científica, mas foi em vão. *Elke Maravilha contra o Homem Atômico* desapareceu.

Se em 1978 Elke fez o filme mais esquecível de sua carreira, foi nesse mesmo ano que rodou aquele de que nunca se esqueceria. Ela protagonizou *A noiva da cidade*, um filme de arte dirigido por Alex Viany e criado por Humberto Mauro, um dos primeiros cineastas brasileiros.

A noiva da cidade nasceu no começo dos anos 1970. O projeto inicial era que Humberto Mauro escreveria o roteiro com Chico Buarque, que também protagonizaria o filme, sobre uma atriz famosa que volta à cidade onde nasceu em busca de tranquilidade, mas não a encontra, pois todos os habitantes se apaixonam por ela.

A protagonista seria Dina Sfat, que na época era uma das atrizes mais conhecidas do país. Mas o projeto se arrastou por anos. Até que, quando finalmente chegou a hora e o dinheiro para filmar, o casal de protagonistas cancelou sua participação. Dina ficou grávida antes das gravações, e Chico Buarque desistiu de atuar, e só contribuiu com a trilha sonora.

Alex Viany correu atrás de uma nova estrela. Tinha entrevistado dúzias de candidatas, mas Humberto Mauro estava convencido de que nenhuma delas era sua noiva da cidade. Até que Alex conversou com Elke numa festa e perguntou se ela toparia fazer o teste. Ela topou. Quando eles chegaram ao apartamento de Humberto Mauro, ele abriu os braços e, sem terem trocado uma palavra, disse: "Minha noiva da cidade!".

É a única atuação de que Elke se orgulhava. "Não é um filme complicado, intelectual, mas é sofisticado na medida em que o simples é sofisticado. É um filme gostoso", ela disse ao jornal *O Globo*.

Humberto Mauro, então com 81 anos, só pediu ao diretor Alex Viany que pudesse ele mesmo dirigir a cena em que Daniela, a personagem de Elke, faz amor com o vento. Os dois minutos e meio de Elke tendo um orgasmo, vestida, sem ter com quem contracenar, contradizem a versão de que ela não conseguia atuar. "É uma coisa genial", dizia Humberto Mauro.

Além de ter sido a atuação de que mais gostou na vida, Elke se divertiu nos meses que passou na região de Volta Grande, em Minas Gerais. Foram mais de três meses de filmagem. E, como aconteceu em *Xica da Silva*, ela virou guia da equipe. Coordenava as excursões para a cachoeira e conseguiu a melhor maconha da região.

Por mais prazerosa que tenha sido a filmagem, *A noiva da cidade* também foi um fiasco de público. O filme estreou em 1978 em apenas seis salas no país e jamais foi distribuído pela Embrafilme. Em 2015, a fita do longa, que havia desaparecido, foi resgatada, e o filme ganhou uma versão restaurada, mas a única atuação de que Elke se orgulhava continua tendo sido vista por poucos.

Na região em que o filme foi rodado, há quem se lembre dele até hoje. Como o comerciante João Silva, de 66 anos: "Saí do colégio Anexo, onde estudava, e fui assistir ao jogo da Argentina × Peru no antigo Bar Lamarca, quando me deparei com a produção e todo o elenco do filme, inclusive com a Elke Maravilha, no centro de Leopoldina. A parte triste desse dia foi a eliminação do Brasil da Copa depois de o Peru ter sido goleado pela Argentina. A parte feliz foi eu ter conhecido a Elke".

1979

Em 1979, a Rede Bandeirantes de Televisão contratou o Chacrinha. Nas negociações com o canal, o único pedido foi que o programa tivesse mais a cara de São Paulo, já que a Band era televisionada para o território paulista e tinha pouca entrada no Rio.

Na quarta hora de uma reunião de seis horas, alguém perguntou se Elke Maravilha, russa criada em Minas e radicada no Rio de Janeiro, cairia bem num programa paulista. Um executivo da Band respondeu: "A Elke Maravilha não é do Rio! Nem de Minas! Ela é de lugar nenhum". E assim Elke foi contratada pela Band para participar da *Discoteca do Chacrinha*, que ia ao ar aos sábados à noite.

A Band, na época, era um canal menor que amargava uma crise financeira e via no Chacrinha uma oportunidade comercial. E, descontente com a falta de recursos da Tupi e da Record, o apresentador via a mudança como uma possibilidade de fazer um programa com mais patrocinadores, o que, com o tempo, poderia render mais.

O Chacrinha sempre se queixou que os artistas, quando ganhavam fama nacional, passavam a se recusar a ir ao seu programa, alegando problemas de agenda. "Martinho da Vila me implorava pra cantar e recebia cinquenta cruzeiros de cachê. Hoje, não vem ao meu programa. É um dos desaparecidos", disse o apresentador ao *Jornal do Brasil* em 1980. E essa reclamação aumentou quando ele trocou a Globo por canais menos poderosos, como a Tupi e, a partir de 1979, a Band.

Para suprir a falta de famosos, o programa passou a promover três rodas de samba por edição. "Vou fazer um programa modesto, porque a verba é pequena, mas, além dos calouros, vou dar vez ao samba, porque a televisão e o rádio têm vergonha de mostrar que o Brasil é do samba e preferem mostrar a música colocada em oitavo lugar na Grécia. Por isso, vai dar muito samba na *Buzina*", disse o Chacrinha numa entrevista coletiva para a imprensa antes da estreia.

O que o Chacrinha não contou é que havia outro motivo além de amor patriótico. Com dificuldade de conseguir atrações musicais, ele aumentou o número de concursos surreais que promovia no palco, usando candidatos voluntários. Algumas das competições, todas com participação do público, foram: "A datilógrafa mais rápida", "A maior mosca", "O cachorro com mais pulgas", "A mãe com mais filhos" e "O burro mais bonito do Brasil".

Havia também concursos que hoje seriam impensáveis de ir ao ar sem ser classificados de racistas. Era o caso de "O negro mais bonito" e "A cabrocha mais jeitosa". O tempo do show de calouros também dobrou, aumentando assim a importância dos jurados. E Elke estava à frente deles.

Uma menina loura de cabelos fartos estava parada na frente de uma câmera maior que ela no palco do Teatro Bandeirantes, no centro de São Paulo. Carregava uma placa escrito "Pará", por mais que fosse de Santo André, cidade na grande São Paulo. É que alguns estados tinham ficado sem representante, e a produção os distribuiu para as crianças que tinham se classificado. "Que criança! Linda! Minha criança!", Elke disse no microfone quando votou nela para "A criança mais bonita do Brasil". A menina, que segurava a mão de Rita Cadillac, sorriu. A candidata se chamava Angélica Ksyvickis, mas ganhou fama usando só o primeiro nome: Angélica.

Elke votou em Angélica como "A criança mais bonita do Brasil", e ela venceu. Em 1980, a menina voltou para passar a faixa para a nova campeã, Helen Mara Michelet. Mas, assim que Angélica pisou no palco, a plateia começou a gritar "Mais um! Mais um! Mais um!". Elke engrossou o coro. E Angélica dividiu mais um título com a ganhadora. O prêmio, que ultrapassava os 20 mil cruzeiros, foi a exposição que permitiu à menina começar sua carreira no entretenimento.

Os votos nunca foram esquecidos. Décadas depois, em 2013, Angélica foi até a casa de Elke gravar um episódio inteiro do programa *Estrelas* — veiculado nas tardes de sábado da TV Globo —, e as duas comentaram o assunto.

"Ainda bem que você votou em mim", disse Angélica. "Votei mesmo", confirmou Elke: "A única pessoa que eu me lembro daquela época é você. […] Eu tenho um olho danado, eu olho pra uma pessoa, 'essa vai dar certo'".

Elke dizia se sentir amada pelas crianças. E tentava retribuir esse amor, conta uma das maiores estrelas mirins que o Brasil já teve. Patricia Marques era uma criança de quatro anos que adorava assistir ao programa do Chacrinha. "Eu vivia pedindo pros meus pais me levarem lá", ela conta. Até que um dia eles levaram. Só mudaram o sobrenome dela para ficar mais artístico. Marques virou Marx, que tem a mesma pronúncia, mas os pais achavam mais artístico. E lá foi Patricia Marx cantar às dez da noite num teatro no Bexiga, bairro italiano no centro de São Paulo.

A família esperou por horas na porta do teatro da Band, o mesmo lugar em que Elis Regina estreou a turnê *Falso brilhante* em São Paulo. "Tinha uma fila enorme que cantava na frente do produtor, e eu era a única criança." Foi escolhida para ir ao palco. E, diante das câmeras, agradou. Enquanto ela cantava "Deixa chover", o Chacrinha apertava sua bochecha e ela sorria, mostrando que estava sem um dente da frente. E Elke gritava "Maravilhosa!". Depois de cantar, Patricia fez uma segunda apresentação. Dançou

"Ói nóis aqui", música do filme *Os saltimbancos trapalhões*. Patricia foi para o trono.

A criança caloura voltou para o Chacrinha meia dúzia de vezes. "A Elke sempre falou bem de mim. Eu sempre ganhava um trofeuzinho, um dinheirinho e um par de sandálias de uma marca que era patrocinadora." Anos depois, quando o programa voltou a ser gravado no Rio, Patricia passou por ele mais uma vez. A família Marques pegou seu Fiat 147 branco e viajou para que ela competisse no Rio. Patricia cantou "Bloco do prazer", de Gal Costa. Elke se encontrava com ela nos bastidores. "Ela me reconhecia, dizia que era bom eu estar lá. Eu já considerava ela uma madrinha."

Toda vez que se encontravam, Patricia perguntava: "Você se lembra de mim?". Elke ria e balançava a cabeça dizendo que sim. Quando Patricia Marx já tinha deixado de ser uma competidora e havia passado a ser uma das principais atrações do programa, à frente do Trem da Alegria, teve outro encontro com Elke. Foi para o estúdio do Chacrinha às pressas após um show e não conseguiu se maquiar. Estava chorando de soluçar no camarim quando a jurada chegou. Elke a abraçou e perguntou: "Por que que você está chorando, criança?". Patricia, com dez anos, respondeu: "É que eu estou horrorosa". Elke respondeu: "Não importa se você está maquiada ou não, você tem que mostrar a luz que tem por dentro, e você é linda". A menina entrou no palco sem maquiagem e cantou "É de chocolate".

Em outra participação, Marx lembra de ter visto Cazuza passando de cadeira de rodas no backstage. Patricia conta que sentiu vontade de dar um abraço naquele homem, que ela não sabia exatamente quem era ou de que doença sofria. "Mas os adultos não deixaram. Naquela época, ninguém sabia como se pegava HIV."

Durante o fim dos anos 1970 e o começo dos 1980, Elke também tentava dar um empurrão na carreira de um adulto. Nessa época, estava namorando Rubens Sabino da Silva, o Rubão.

Músico famoso nas rodas da MPB, Rubão tocava baixo com Gilberto Gil, Caetano Veloso, Gal Costa, Jorge Ben Jor e Fagner, e tinha conhecido Elke depois de tocar no programa. Suas músicas eram cantadas por artistas como Erasmo Carlos, que gravou "Por cima dos aviões". Mas ele ainda não era conhecido do público.

O namoro dos dois ganhou muita atenção de revistas de fofoca. E não era só porque ambos eram famosos. Elke era branca. Rubão é negro. Ela foi questionada sobre a diferença étnica numa entrevista. Respondeu: "Já tive vários homens brancos. Por acaso, os dois últimos foram negros. Um atrás do outro. Por acaso, né? Mas não é verdade que só transo com homens negros. A maioria dos meus homens foi branca. Agora, se pintar verde, amarelo, roxo, não importa. Tanto faz. Inclusive as pessoas encaram o negro como um objeto sexual, mas não tem nada a ver", ela disse em entrevista à revista *Sétimo Céu* em 1977.

Mais que ver o namorado nas páginas de fofoca, Elke queria que ele estivesse na capa dos suplementos culturais. "Ele tinha tudo pra ser uma estrela", dizia. Numa noite de 1980, estava no quarto de Rubão quando abriu uma gaveta à procura de um isqueiro. Só encontrou um pedaço de papel. Leu. Era uma letra de música. Achou o poema que havia encontrado lindíssimo e foi até a cozinha: "Rubão, você precisa fazer essa música". Ele explicou que desistira da letra há tempos, não tinha nem encontrado melodia para ela. Elke insistiu. Falou com o Chacrinha e ativou seus amigos do mercado fonográfico.

Quatro meses depois, Rubão tinha gravado a música "Madrugada tropical". "Essa pega, hein?", ouviu do Chacrinha. Rubão se lançou como cantor no Festival de Música Popular Brasileira de 1980, mas foi desclassificado antes de chegar à final. O único disco que ele lançou nessa época tinha duas músicas. "Madrugada tropical" no lado A e, no lado B, uma música composta em homenagem ao Chacrinha. Chamava-se "Velho guerreiro".

Pausa

"Não se nasce mulher; torna-se mulher." A frase é de Simone de Beauvoir, mas pode ser adaptada sem perda de verdade: "Não se nasce Elke Maravilha; torna-se Elke Maravilha". E essa transformação passou por metros de saltos altos, quilômetros de cabelo sintético e toneladas de pó de arroz.

Elke criou um estilo que influenciou gerações de estilistas e de cabeleireiros brasileiros. "Ela tinha uma estética de drag queen antes de o brasileiro saber o que era uma drag queen", diz a editora de moda Erika Palomino. "Muito do que se viu nas passarelas nos anos 1990 e 2000 foi claramente influenciado pela estética da Elke."

A estética Elke se resume a uma regra: mais é mais. Quanto maior fosse a peruca, mais alta fosse a bota e mais aparente fosse a maquiagem, melhor. "Eu quero aparecer e não vou fingir que não quero", ela explicava. "No dia em que eu não chamar mais atenção, eu prefiro morrer."

Elke jamais teve um *stylist*, um profissional que pinça roupas de diferentes marcas e as combina em visuais prontos para as estrelas. Nem figurinista ela tinha em seus programas. Era ela quem escolhia as roupas que usava. E quando não encontrava nada parecido com o que tinha em mente, procurava quem conseguisse fazer para ela.

Foi ela quem garimpou estilistas, cabeleireiros, maquiadores, peruqueiros e sapateiros. No auge de sua fama, no começo dos anos 1990, Elke contava com mais de trinta fornecedores.

Alguns trabalharam com ela por mais de quatro décadas. É o caso de Breno Beauty, de São João del-Rei, que fez para Elke ornamentos de cabeça, penteados e vestidos da década de 1970 até os últimos dias de sua vida.

Em agosto de 1972, Elke entrou no ateliê de Guilherme Guimarães para buscar o cheque de um desfile. Lá, encontrou com um mineiro loiro de olhos azuis bem abertos e de boca bem fechada. Era Breno Neves, que tinha feito fama com socialites mineiras antes de ir desenhar vestidos para a maison de Guimarães. Os dois ficaram amigos de imediato. "Eu vi alguma coisa nos olhos dele", dizia Elke. E, por mais que Breno tenha voltado para São João del-Rei menos de um ano depois, ele e Elke jamais se separariam.

Foi Breno quem desenhou um vestido longo de lycra azul-claro, com mangas longas, que eram ligadas por asas como as de um morcego até o corpo da peça, para que ela saísse de Iemanjá num Carnaval em Minas Gerais nos anos 1980. "Ela quase apanhou no dia que usou essa roupa. As pessoas têm preconceito, né?", diz o estilista.

Outra figura essencial na criação do visual Elke foi o cabeleireiro Silvinho. Uma das maiores estrelas da beleza nos anos 1970, Silvinho cultivava a mística de ser o responsável pela transformação de suas clientes. "A Arlete Salles, uma das minhas melhores amigas, não é nada bonita. Parece mentira, mas seu rosto é tão apagado que parece que alguém passou uma borracha sobre ele. Mas, em compensação, tem um corpo deslumbrante. Para ela, criei um tipo exótico, explorando o que ela tem de melhor. No mesmo caso está a badaladíssima Elke. Quanto mais extravagante, mais legal", disse Silvinho à revista *Contigo* de julho de 1972. O título dessa entrevista era: "Sou o elixir da beleza!", uma frase de Silvinho falando de si mesmo.

"Foi ele quem transformou Marina Montini numa deusa e lhe ordenou raspar as sobrancelhas. De Sandra Bréa conseguiu

mais: atingiu o coração da superstar", afirmava a revista *Manchete* de fevereiro de 1982. Por causa da modéstia de Elke e da soberba de Silvinho, havia quem pensasse que ele era o responsável pelo visual que ela desfilava na TV. E de fato era a pessoa que fazia os penteados e dava ideias para a jurada. Mas Elke sempre teve um projeto estético. Sabia o que usaria e o que não usaria.

Cabelo liso era vetado. Se fosse para mostrar os fios naturais, sem peruca, eles tinham de ser frisados até dobrarem de tamanho. Vestidos eram peças raras se ela não estava desfilando. Preferia os *kaftans*, uma túnica com mangas que vai pelo menos até um pouco acima do joelho, usados com botas que iam até o meio da coxa. Os sapatos, de tamanho 39, eram feitos sob medida nos Jardins, bairro nobre de São Paulo, com Fernando Pires.

Os dois se conheceram na década de 1980, quando o sapateiro predileto de Elke, no Rio, havia morrido e ela estava órfã de quem criasse as botas que ela desenhava em sua mente.

"Ela já veio com a fôrma de madeira dela, e com um molde da bota, que vinha quase até a virilha", conta Pires. Trazia também o material: um vinil com arabescos, que havia sido usado para fazer um *kaftan*.

"Quando ela vinha até a loja, era uma festa. A gente abria uma garrafa de vinho, fechava a loja e ficava no cá-cá-cá. Depois abria outra, a terceira..." Com o tempo, suas botas foram subindo, até virarem calças que ela vestia pelo pé.

Elke cuidava de suas roupas como se fossem os filhos que nunca teve. Em maio de 2014, ela foi à festa de trinta anos de carreira de Pires com um par de botas pretas que ele havia feito para ela mais de duas décadas antes. "Aquilo foi emocionante", diz o sapateiro.

Conforme o tempo foi passando e Elke virou um símbolo estético, jovens criadores a procuravam para oferecer seus préstimos. Um desses jovens foi Rony Matos. Arquiteto de formação, Rony acabou virando um visagista respeitado.

Começou a montar perucas para a mãe de uma amiga, que lutava contra o câncer, e logo estava fazendo peças para as drag queens mais famosas do Brasil (e para ele mesmo quando encarna Nally Picumã, uma matrona de cabelo armado que dubla músicas de cantoras como Adele).

Em 2010, Rony estava em Paris quando teve um momento de inspiração. Viu dreadlocks, mechas de cabelo emaranhado, pendurados em pencas nas vitrines de lojas de Saint-Denis, um bairro da periferia de Paris onde a maioria dos moradores vem da África ou do Oriente Médio. "Fiquei maluco! Comprei vários dreads de cabelos sintéticos, e já saí de lá pensando em fazer uma peruca pra Elke." Até então, ele nunca tinha encontrado Elke. Mas a oportunidade surgiu menos de um ano depois de montar a peruca platônica. Rony ficou sabendo que Elke se apresentaria na Mixed Club, uma boate numa chácara da região, em que as festas começam à tarde como churrasco e vão até a madrugada. Ele colocou a peruca num embrulho de papel vermelho e usou seus contatos para chegar até o camarim. Ofereceu o pacote à cantora, que estava sentada fumando.

Enquanto Elke abria o presente, ele disse: "Se você não gostar, não tem problema". Era a peruca de dreads loiros. Elke gargalhou quando abriu. Ela não só gostou da peruca, que usou em mais de vinte entrevistas dadas na década de 2010, como alguns anos depois ligaria para encomendar outra. "E eu fiz, é claro. Era uma honra. Eu sou daquele tipo de bichinha que via o show do Silvio Santos e pirava nela. Eu não acreditava que tinha ficado amigo de um ícone."

A drag queen e ex-BBB Dimmy Kieer dá um exemplo de como Elke era generosa com seus truques de estilo. Dimmy encontrou com ela numa boate no começo da década de 2000 e elogiou o vestido branco que ela usava. "Parecia uma roupa grega, cheia de drapeados, coisa linda", relembra Kieer. Elke respondeu ao elogio com um riso e revelou o que era o vestido. "Isso aqui, minha filha? É um lençol com cinco alfinetes", ela disse, e mostrou como o tecido, que até dias antes cobria sua cama, tinha se transformado num vestido improvisado.

Ela tinha um olho para recrutar mão de obra. Durante um show de drag queens numa boate do centro de São Paulo na década de 1990, viu um vestido de veludo longo com espermatozoides bordados em pedraria. Perguntou quem tinha criado a peça. E apontaram para Walério Araújo.

Walério virou um de seus estilistas prediletos nos anos 1990. Todo final de semana, antes de ir para o SBT, ela passava na quitinete de Walério no Copan, um dos maiores prédios de São Paulo. Provava duas roupas, que ainda podiam ser finalizadas, e pegava outras duas, já prontas, para usar no dia. Walério cobrava só os materiais que usava, e guarda como lembrança alguns cheques de Elke, que nunca depositou.

Elke sempre deu liberdade, dizem os estilistas que trabalharam para ela. Mas dava dicas do que evitar: "Ela odiava azul-claro, que chamava de 'azul Roberto Carlos', e marrom", diz Araújo.

Em 1997, ele criou para Elke um vestido com oito quilos de pérolas artificiais, bordadas em fios que caíam em cascata na parte da frente. Mas nem todos os looks eram de materiais nobres. Elke trouxe de uma viagem meia dúzia de tapetes de fuxico coloridos, usados para cobrir os bancos de motoristas de caminhão. Entregou o saco de capachos para Walério e pediu: "Me faz um vestido?". Ele fez. Também encomendou uma peça feita da toalha de altar de uma igreja mineira.

As roupas eram usadas e depois penduradas para uma próxima ocasião. Várias peças compartilhavam o mesmo cabide, e os acessórios ficavam em caixas sem nenhum cuidado especial. "Não tenho ligação com as peças, mas sou uma esteta. Gosto da beleza. Mas se pegar fogo e eu perder roupa, peruca, tá tudo bem. Não amo nada, porque coisa não se ama." E quando alguém se surpreendia de ver Elke com a mesma roupa, ela respondia: "Essa história de não repetir roupa é a maior bobagem que eu já ouvi".

1979

Um avião que saiu de São Paulo no verão de 1979 sacolejava por cima do Centro-Oeste brasileiro. A turbulência fez com que as malas caíssem dos compartimentos de bagagem, e os passageiros cobriam a cabeça para não ser atingidos. Entre a centena de viajantes em apuros estavam Rita Cadillac, Elke Maravilha, o Chacrinha e mais meia dúzia de pessoas que trabalhavam no programa de TV da Band.

E o Chacrinha passava por um momento turbulento fora do avião também. Seu programa tinha mudado algumas vezes de canal nos últimos anos. Por mais que fosse bem assistido na Tupi, na Record e na Bandeirantes, ele começou a perder no ibope para o *Fantástico*, uma revista eletrônica que a Globo havia criado para preencher o vazio deixado por ele nas noites de domingo. A publicidade que ele conseguia nos outros canais mal pagava os custos do programa. Os salários estavam atrasados.

O avião pousou em Porto Velho, capital de Rondônia, mas a jornada da trupe ainda estava longe do fim. Iriam encarar mais duzentos quilômetros numa estrada ainda mais turbulenta, de ônibus. "A gente jogava baralho, ficava jogando conversa fora. Tinha muito tempo pra matar, viu?", conta Rita Cadillac.

Os shows em festas do peão e feiras agrícolas eram uma fonte de renda nos tempos difíceis para o Chacrinha. Mas não para Elke. "A Elke chegou a trabalhar de graça não só em alguns programas, no início, mas depois nas excursões, quando o

Chacrinha estava mal", diz Boni, que na época dirigia a TV Globo. Quando ia às excursões com o chefe, ela não cobrava cachê, o que não era praxe. "Alguns jurados, os piores, eram pagos pra ir nas caravanas", conta Boni.

Quanto pior era a situação, maior o número de shows que o apresentador marcava. E em lugares cada vez mais remotos. Ariquemes havia se tornado uma cidade dois anos antes, em 1977. Havia uma avenida asfaltada e as outras ruas eram de terra batida e molhada pela chuva que caía toda tarde. A trupe ficou no único hotel da cidade.

Essas viagens muitas vezes eram feitas na correria, e o cachê para a trupe era coisa de um salário mínimo. "As pessoas imaginam que a gente tenha ganho milhões. Que nada! Eu queria que o programa *Chacrinha* tivesse existido hoje em dia. Na nossa época de sucesso não existia isso", diz Rita Cadillac, que hoje, em 2021, tem 67 anos e mora num apartamento de dois quartos em Santa Cecília, bairro de classe média no centro de São Paulo.

A ordem do Chacrinha para o elenco era clara: os artistas não deveriam sair do quarto do hotel, que Rita Cadillac diz ser de "uma estrela e meia, se muito". Fazia mais de quarenta graus e metade dos quartos não tinha ar-condicionado, o de Elke inclusive. Meia hora depois de fazer check-in, a jurada se fez de rogada: pegou sua bolsa de palha e desceu para o boteco e mercearia que ficava na esquina. Sentou-se numa mesa de plástico branco, dessas usadas ao redor das piscinas, com um trio de homens que já estava por lá. Pediu uma cachacinha.

Os ariquemenses começaram a se juntar ao redor da mesa. Menos de meia hora depois de ter se sentado na mesa de plástico branco, havia dezenas de pessoas ao redor dela. O sol foi caindo e nada de Elke se levantar da mesa. Alguém trouxe uma viola e começou a tocar modas, que Elke acompanhava cantando. "Acho que não vou não, vou ficar aqui tomando uma cachacinha que eu ganho mais", ela disse quando o único produtor do show foi buscá-la.

Criou-se uma tensão no grupo: será que Elke iria faltar a um show pela primeira vez? O Chacrinha teve de sair à rua pessoalmente, em roupas civis, e buscar Elke. Enquanto ele ralhava com sua jurada, ela só ria. Elke foi arrastada de volta para o hotel pelo braço, com um cacho de guaraná em fruta no colo.

O show à noite lotou. "Devia ter mais gente do que a cidade inteira", diz o aposentado Rui de Guedes Filho, que nos anos 1970 tinha uma quitanda em Ariquemes. "Veio gente da região toda. Vieram de ônibus, de moto, a pé. Mas vieram."

O Chacrinha fez o show planejado. Contou piadas de duplo sentido e promoveu um concurso de calouros: cantores rondonienses subiram ao palco para ser avaliados por Elke enquanto as chacretes dançavam. Quando saiu do palco, uma fila de pessoas esperava para falar com a jurada. Ao menos três delas tinham trazido uma garrafa de cachaça para oferecer de presente a Elke.

1980

"Eu não quero matar a Elke", um menino de treze anos repetia num set de filmagem em São Paulo. O garoto tinha sido escolhido entre centenas para ser o protagonista de *Pixote: A lei do mais fraco*. O filme de Héctor Babenco narra a vida de um grupo de garotos pobres e marginalizados que passam pela Febem, que na época era o reformatório estadual para delinquentes infantis.

O garoto repetindo que não queria matar Elke se chamava Fernando Ramos. Tinha vindo de uma família pobre de Diadema, na Grande São Paulo, e mal sabia ler e escrever. Tinha sido escolhido para o papel por causa de seu carisma e da verdade que passava como o personagem. Mas, mesmo com seus três meses de preparação com Marília Pêra e alguns dos melhores profissionais das artes cênicas do Brasil, Fernando travou quando chegou o momento de fingir que esfaqueava Elke Maravilha, que ele conhecia da televisão.

"Ele não queria me matar porque gostava de mim", dizia Elke. "A gente explicou que primeiro ele não estava matando ninguém, que aquela faca era falsa", teria dito a preparadora de elenco Fátima Toledo no documentário *Pixote in memoriam*, dirigido por Marcelo Felipe Sampaio em 2007. Foi Fátima quem preparou os jovens atores, com pouca experiência em cena.

No filme, Débora, a stripper interpretada por Elke, mata um dos meninos, Chico, e o roteiro previa que fosse morta por Pixote. Mas a cena não saía. "Ele não conseguia. Ele tinha medo de usar aquela faca", diz Fátima Toledo. Fátima puxou o ator para um canto do set e mostrou dezenas de vezes como a faca funcionava: havia uma mola que puxava a lâmina para dentro do cabo toda vez que a ponta do objeto encontrava algum obstáculo.

Elke contava como foi o momento: "Essa cena a gente ensaiou por horas e horas e horas e horas e horas e horas", ela repetiu oito vezes a palavra. "Quando ele ficou confiante de que não ia machucar a Elke, ele foi rodar", disse Fátima. Fernando esfaqueou Elke, que gritou e caiu sentada em um móvel. A cena de uma criança esfaqueando uma prostituta num cabaré entrou para a história do cinema nacional.

"Nesse processo existe uma coisa de sofrimento, óbvio. Tanto físico quanto moral", dizia Elke. Para ela, foi a cena mais difícil da carreira de atriz. "O resto era tudo uma brincadeira", disse ela, que no filme aparecia sem maquiagem ou peruca, cheirando cocaína no meio das crianças.

Pixote foi eleito um dos cem melhores filmes brasileiros da história, numa lista feita em 2015 pela Associação Brasileira de Críticos de Cinema. O menino ganhou prêmios ao redor do mundo, mas não conseguiu seguir com sua carreira de ator.

Fernando Ramos, o garoto que teve dificuldade para fingir que estava matando Elke Maravilha num set de filmagem, foi morto numa ação da Polícia Militar em 1987, quando tinha dezenove anos. A PM afirma que Fernando estava participando de um assalto — ele havia sido preso três vezes, por assalto, posse de drogas e outra por porte ilegal de arma. A família nega que ele tivesse cometido qualquer crime.

1987

O que são seis pessoas e uma dúzia de caixas espremidas num Galaxy amarelo ovo cruzando o Sul do país em 1987? Elke Maravilha e sua companhia de teatro, viajando com o espetáculo *SOS da ribalta*.

O salário da jurada na TV nunca foi milionário, então Elke completava sua renda fazendo shows pelo país. Nos primeiros anos com o Chacrinha, ela acompanhava o apresentador em seus shows pelo Brasil — geralmente, só Elke e Pedro de Lara eram convidados a formar um júri improvisado e avaliar artistas amadores que vinham da plateia.

Mas, depois de anos de estrada, o Chacrinha dispensou Elke de fazer parte de seu espetáculo. O diálogo entre os dois era narrado por ela assim:

"Elke, você é a azeitona da minha empada. Mas não vai mais fazer show comigo, não", disse ele.

"Painho, eu vou com você aonde quer que você vá."

O Chacrinha respondeu: "Não, Elke, você vai é com você. Você está pronta, não dependa de mim".

Elke ficou sentida: "Mas o que eu vou fazer sem você?".

"Vai ser Elke Maravilha, minha filha!", buzinou Abelardo Barbosa.

Elke continuou trabalhando com o Chacrinha na TV, mas aceitou o conselho de independência. Passou a fazer cada vez mais shows sozinha, em turnês que duravam até um ano.

Uma das turnês ocupou o ano de 1987 quase inteiro e foi uma das mais marcantes. Tanto pela abundância de acontecimentos quanto por ter sido quando Elke conheceu Rubens Curi, um de seus melhores amigos.

Rubens era um bailarino renomado. Tinha uma academia de dança em São José dos Pinhais, cidade na Grande Curitiba. Depois de se apresentar num espetáculo solo, uma diretora de nome Dóris Gilda disse que ele tinha de atuar com Elke. "Eu agradeci, mas não quis. Estava bem com minha escola." Uma semana depois, Dóris chegou com uma proposta: Rubens poderia estrelar um espetáculo mambembe, para viajar com Elke pelo Paraná, Santa Catarina e Rio Grande do Sul. O cachê era o dobro do que Rubens lucrava com a academia de dança e seus oitenta alunos.

Ele disse sim, e menos de um mês depois foi receber a estrela do espetáculo no aeroporto de Curitiba. "Desceu do avião aquela figura enorme. Quando ela me viu, me agarrou e me colocou entre os peitos dela. Quando minha cara encostou no peito dela, eu pensei: 'Fodeu'." Os dois narram como passaram horas se olhando, sem trocar uma palavra.

No dia seguinte, já estavam na estrada com um show que era muito humor e pouca dramaturgia. "Era um espetáculo horroroso. Estou sendo dramático, não era horroroso, era mambembe. O texto era muito chulo, uma comédia de esquetes", diz Rubens. Seis ou sete personagens se intercalavam no palco. Um deles era o Romeu Cagão, interpretado por ele, que interagia com uma Julieta Machona, de Elke.

"O público era muito simples, gente do interior. O espetáculo tinha um gosto popular, as piadas eram muito óbvias." Os personagens eram arquétipos simples, como o garçom bêbado que derrubava os copos no personagem de Elke.

Eram cinco atores e a diretora dentro de um carro sedã, numa turnê que durou oito meses, de fevereiro a setembro de 1987. Faziam um show por dia. Às vezes dois. A vida na estrada era mambembe, mas o dinheiro não era pouco. E não faltava diversão. "Elke e eu matávamos uma garrafa de conhaque todo espetáculo. Durante o espetáculo mesmo. Era delicioso."

Dormiam em hotéis com redes no lugar de camas. Se a cidade não tinha um teatro, amarravam seis mesas plásticas de um bar, cobriam com uma lona e fez-se um palco.

E o improviso também subia para a cena. Certa noite de julho, eles se apresentaram num salão que não tinha nem banheiro. "A Elke me pediu: 'Pelo amor de Deus, me descola um balde'." Não deu tempo, e ele entrou em cena. Do palco, viu Elke vestida de Julieta, agachada urinando num copo de uísque que já tinha transbordado. "O profissionalismo dela era incrível. Ela não queria perder o timing para entrar no palco, e sabia que não ia aguentar segurar, então fez ali", diz Rubens.

Às vezes, também eram recebidos pela elite das cidades por onde passavam. Foi num desses jantares que baixou o Grünupp em Elke. Aconteceu em Guarapuava, quando ficaram hospedados na mansão do prefeito, que ofereceu um jantar com talher de prata para os vereadores da cidade e a trupe.

Depois que os políticos foram embora, a primeira-dama começou a guardar a prataria. Elke interpretou como se fosse por medo dos artistas afanarem os talheres. Desceu o Grünupp nela: Elke começou a fingir que estava roubando talheres, enquanto berrava impropérios.

Não que a turnê fosse livre de mutretas. O cabeleireiro Silvinho chamava Waldemar, então empresário de Elke, de Bicha Paraguaia. O apelido vinha por causa da tendência do empresário de fazer um quê de truques. Numa das cidades, que não queria contratar o espetáculo porque achava que não valia pagar só pela presença de Elke, Waldemar vendeu Rubens como sendo o bailarino que dançava no *Fantástico*.

Nessa ocasião, Rubens teve de ficar trancado no quarto do hotel até minutos antes do show, para as pessoas não notarem uma diferença óbvia entre ele e o dançarino do programa da Globo. "Eu tenho 1,60 metro e o cara tinha 1,90 metro."

A turnê chegou ao fim para Rubens num acidente numa noite de setembro de 1987, em que os termômetros de Curitiba marcavam zero grau.

Rubens fechava o espetáculo dançando "Years of Solitude", do compositor argentino Astor Piazzolla, e costumava se aquecer antes do número final. Mas naquela noite o camarim era pequeno e entulhado. "Eu não consegui me aquecer e pensei 'foda-se!'." Passou pela coxia, pegou um ornamento de cabeça de onça de Elke e pôs no lugar em que deveria estar sua tanga. Ele não se lembra, mas, segundo Elke, Rubens entrou no palco se esgoelando. "Só lembro que berrava muito a palavra 'pai'." Deu um *grand jeté*, um salto grande com a perna esticada para a frente, na direção da plateia, e ouviu um estampido seco. Saiu da plateia com um achatamento entre as vértebras L4 e L5 num processo inflamatório que não cedia. Ficou um ano e meio sem andar e nunca mais dançou como antes.

Mas, mesmo que nunca mais fosse dividir o palco com Elke, Rubens estaria com ela dali para a frente, como diretor, como produtor, como conselheiro, como amigo. "Criança, amor a gente não conhece. Reconhece", dizia ela sobre ele.

De 1982 a 1988

O circo tinha voltado ao Rio de Janeiro. E ao horário nobre. Na tarde de 6 de março de 1982, uma comitiva de palhaços, adultos fantasiados de animais de pelúcia e mulheres em maiôs fio dental cruzou o Jardim Botânico, bairro que centralizava as produções da TV Globo antes da construção do Projac. Dezenas de pessoas vinham marchando pela rua, junto com uma banda, e alguns poucos vinham em carros abertos. O Chacrinha e Elke Maravilha estavam num buggy, que estacionou na porta do Teatro Fênix para que eles descessem.

O apresentador do programa estava em traje de gala: uma casaca de paetês vermelhos e uma cartola alta do mesmo material, quando, às 16h02, anunciou: "Vamos receber a encantadora Elke Maravilha". Elke, com uma túnica preta no corpo e um moicano de penas azuis na cabeça, parou na frente do Chacrinha, enroscou seus dois braços no pescoço do apresentador e beijou sua bochecha esquerda, deixando uma marca de batom que duraria as duas horas do programa *Cassino do Chacrinha*.

Abelardo Barbosa estava de volta à Globo. O apresentador tinha feito as pazes com Boni, que então era vice-presidente de operações do canal, e aceitou levar seu programa de volta. Depois de dez anos, o canal já era transmitido para o Brasil inteiro, e se consolidou como o maior do país. E Elke voltou com ele, num programa de estreia que era novo no nome, mas de novo não tinha nada. O *Cassino* era a soma do *Buzina do*

Chacrinha, em que Elke já tinha sido jurada havia uma década, e do *Discoteca do Chacrinha*, no qual os artistas que mais tocavam no rádio iam se apresentar.

Seu estilo Poliana de jurada também sobreviveu. Só no programa de estreia ela fez estes três comentários: "Você é linda, é simpática e canta bem!"; "Eu fiquei apaixonada. Realmente, gata, você é maravilhosa! Mas esse branquinho, meu Deus do céu! Tá pronto pra ser depenado, peninha por peninha. Vocês vão fazer muito sucesso" e "Beleza pura! É claro que vai pro trono".

De cigarro em punho, Elke distribuía baforadas e gentilezas. Era comum que os jurados, como Glória Menezes, fumassem na frente das câmeras e conversassem entre eles, como velhos amigos, até porque muitas das pessoas que passavam pela bancada eram as mesmas havia anos. Pedro de Lara ficou com Silvio Santos. Mas Elke estava de volta com outros conhecidos, como Edson Santana, o maestro e rei momo que só votava contra e era cruel com os competidores. Edson dava veredictos como: "São feios, sem graça. Essa menina poderia cantar sorrindo. Mas cantou que nem uma estátua", e recebia em troca vaias da plateia. Foi um Simon Cowell muito antes de esse jurado inglês existir e pegar pesado com os candidatos de competições musicais como *The Voice* e *The X Factor*.

O papel de Elke passou a ir além de só julgar. Ela virou uma segunda apresentadora do programa. Antes, Elke participava só da cantoria de desconhecidos. Mas, com a fusão dos dois programas do Chacrinha, passou a interagir no palco com os maiores artistas do Brasil. Clara Nunes, Beth Carvalho, Titãs, Roberto Carlos e Balão Mágico podiam todos se apresentar num só programa. O que não mudou muito seu espírito. Num sábado de setembro de 1982, Fábio Jr. estava cantando "Seu melhor amigo". O Chacrinha pôs o microfone na boca da jurada: "Não!", ela berrou. "Eu não sei a letra, Painho", confessou no ar, em vez de fingir que cantava junto, e gargalhou. O cantor saiu do ritmo de dublagem para rir junto com a jurada.

A própria Elke se arriscou como cantora a essa altura. Em 1983, ela foi convidada pela gravadora Chantecler para gravar um disco *shortplay* com duas músicas. A principal, que dava nome ao EP, era "Joia rara", uma canção pop chiclete cuja letra dizia:

Quem sabe, sabe
Me conhece, gosta
Se me criticarem, eu viro as costas

No lado B do disco estava uma canção de duplo sentido que ela já usava nos shows, chamada "Que vontade de comer goiaba", que era cantada entre gemidos. Até então, ela só tinha tido experiência como cantora de marchinhas de Carnaval. Em 1973, tinha gravado a "Marcha da zebra", um samba que entrou no álbum *Rio, Carnaval e amor*, de 1973, e mais duas músicas de Rogê e Leonete, "Gira roda" e "Juju", para o disco *Carnaval, amor & fantasia*, em 1976.

O disco *Joia rara* foi o primeiro e o único. Passou despercebido pela crítica e pelas rádios, não vendeu. A Elke cantora só foi reaparecer dali a trinta anos.

As atrações musicais do Chacrinha não cantavam ao vivo. Dublavam suas próprias músicas em playback. "Tinha muita gente que odiava isso, né? Músico gosta de fazer música", disse Elke. Era aí que ela entrava, para compensar a falta de ânimo de algumas apresentações. Em 1983, com um vestido longo que começava numa gola rulê vermelha de vinil e ia até o chão, Elke saiu de trás da bancada. E foi dançar com Marcos Valle, que apresentava o maior sucesso da semana, a música "Estrelar":

Tem que correr
Tem que suar
Tem que malhar
Vamos lá
Musculação
Respiração
Ar no pulmão
Vamos lá

Elke notou que o Chacrinha se afligia porque a apresentação estava parada demais para o seu gosto, mesmo com as chacretes dançando em maiôs rajados em preto e branco, com um semáforo de lantejoulas bordado no peito e luvas brancas. "Pro Painho, televisão era ação. Ele tinha paúra que o programa ficasse parado, morto. É por isso que montava aquela feira no palco, com gente dançando, gente cantando, gente jogando fruta." Ela então levantou. Dançou com o cantor. Pegou uma melancia e começou a dar fruta na boca do ex-rei momo Edson Santana. Elke comeu uma melancia na frente da câmera. De cinco minutos de apresentação, mais de um é dedicado à jurada.

Em 1987, Raul Seixas foi ao programa. O Chacrinha, vestido de palhaço com o nariz pintado de vermelho, pediu que ele cantasse "Cowboy fora da lei" uma segunda vez. E a mesma gravação da mesma música começou a soar nos alto-falantes. Ninguém da equipe entendeu o que estava acontecendo. Elke, de peruca de Maria Antonieta e um vestido de baiana com colares e guias pendurados no pescoço, levantou para dançar atrás de Raul, que cantava parado na frente do pedestal do microfone.

Uma tática parecida era usada com quem tentava falar de política no programa. "O Painho odiava propaganda de partido ou de governo. Ele falava de problemas, como a fome ou a aids, mas se viesse alguém fazer propaganda política, ele espumava."

Numa tarde de 1986, Adhemar de Barros Filho, um deputado do PDT que usava óculos fundo de garrafa e falava lentamente, foi ao programa. Começou a fazer um discurso defendendo a ditadura militar. O Chacrinha só deu a deixa: "A Elke Maravilha quer dar um beijo no deputado!". Elke se levantou, foi dançando até perto do homem de cabelos brancos e pegou sua cara sisuda com as duas mãos. Deu um beijo que deixou marcada a bochecha do político, que parecia não saber como reagir, enquanto as chacretes e Russo invadiam o palco e acabavam com o discurso do político. "O Chacrinha era um anarquista que nem eu. Cada um no seu estilo, mas aquilo era o reino da anarquia."

Sua importância também cresceu nos bastidores. Ela virou a embaixadora do programa. O Teatro Fênix tinha três andares, e os camarins ficavam espalhados. Só Roberto Carlos tinha uma sala com seu nome na porta, que ninguém podia abrir. As chacretes também ficavam confinadas, proibidas de interagir com qualquer convidado ou com os jurados. Todos os demais artistas que passaram pelo programa circulavam livremente. E Elke virou uma espécie de hostess. Chegava duas horas antes de a gravação começar, já com o cabelo feito e figurino no corpo, e dedicava esse tempo a entreter os convidados. Tomou cachaça com Pepeu Gomes antes de os dois subirem ao palco em 1988. Foi quem conseguiu arrastar Tim Maia para fora do camarim, onde ele estava bebendo uísque e fumando maconha, para ir ao palco cantar em 1985.

Nessa época, sua vida financeira voltou à estabilidade. Além do salário da TV, Elke ainda começou a fazer merchandisings, propagandas durante o programa, que eram pagas pelos anunciantes. E muito mais bem pagas que seu salário. Num sábado de 1984, Elke dançava no palco com duas bolas gigantes. Eram pessoas com fantasias infláveis de bolas de bingo, com a marca da Haspa escrito no peito e nas costas. Elke entregou o prêmio para os vencedores da promoção Poupança Premiada Haspa. Deu um cheque de 1 milhão de cruzeiros para um homem que parecia tímido ou chateado por estar na TV. "Me leva para passear?", pediu ao vencedor da quantia, que então correspondia a quarenta salários mínimos. Elke estava brincando. O valor do cheque era o que ela conseguia tirar num mês bom, juntando o salário da Globo com os shows que fazia Brasil afora e os comerciais.

E havia uma nova fonte de renda: Elke Maravilha virou marca de maquiagem vendida no supermercado. A empresa de cosméticos Nasha comprou o direito de usar o nome da artista em batons, rímel, pó compacto e outras maquiagens. Na década de 1980, a marca Elke Maravilha de beleza movimentava o equivalente a centenas de milhares de reais por mês, e a mulher dona do nome ficava com uma porcentagem das vendas.

Foi com esse dinheiro todo que Elke conseguiu quitar seu apartamento no Leme. E saldar uma dívida antiga. Quando ainda estavam na Band, ela comentou com outros funcionários do programa que o apartamento que alugava tinha sido posto à venda, mas que ela não tinha dinheiro para dar a entrada. O Chacrinha, que estava cochilando num sofá do mesmo camarim, levantou a cabeça. "Quanto é?", e emprestou-lhe a quantia. Episódios como esse só alimentavam os boatos de que Elke e o Chacrinha tinham um caso, o que ambos sempre negaram. "Ah, disseram que ele deu meu apartamento de presente. Era eu que dava presente pra homem", ela ria quando contava que a dívida foi paga, centavo por centavo.

Sua vida financeira estava estável. E a amorosa se estabilizou junto. Num show que foi fazer com o Chacrinha na Grande São Paulo, ela conheceu seu marido seguinte. Moreno e cabeludo, como outros de seus namorados, Roberto Lazzuri era seu contratante. Beto, como era conhecido, era dono da Emerald Hill, uma das maiores boates de São Bernardo do Campo. A Emerald comportava até trezentas pessoas em sua pista de dança. A casa promovia festas à fantasia, concursos de miss e bailes do Havaí.

O marketing da boate era baseado na presença de famosos. Victor Fasano, a sambista Leci Brandão, o jovem Fábio Assunção eram algumas das celebridades que passaram pela pista. Na maior parte das vezes ganhando cachê para isso. E Elke foi contratada para fazer presença VIP na Emerald várias vezes.

Da primeira vez, só olhou para o empresário. No segundo show, sorriu e se informou de quem ele era. Então, na terceira vez que ela foi contratada, depois que a festa terminou, Elke ficou no camarote conversando com os amigos. "Daí rolou o convite pra jantar", conta Roberto. Quem convidou quem? "Foi ela, ela deu o bote."

Os dois saíram juntos. "Na semana seguinte ela me convidou pra ir ao Rio e começamos um namoro de ponte aérea." Foram nove anos de um relacionamento monogâmico, uma exceção na trajetória de Elke.

Numa segunda-feira de 1988, Roberto foi convidado para um almoço de que se lembra até hoje. O Chacrinha recebeu o casal de cuecas e deu um beijo no rosto de Roberto. Chamou Elke para conversar, queria uma opinião sobre mudanças em seu programa. Roberto conta: "O Chacrinha comentou que o Boni teve reunião e queria fazer mudanças no programa, e ele não aceitava, ficou nervoso e durante o papo disse 'Quero que a Globo se foda, não mudo meu programa, e se quiser, cancele o contrato'".

Depois de ser aconselhado por Elke a tentar ser paciente com o canal, o Chacrinha levou o casal até uma mesinha de canto sobre a qual estavam várias imagens de santo. "Ele disse que era lá que fazia suas orações diárias", conta Roberto.

No sábado seguinte, o Chacrinha deu um alô para o novo namorado de Elke em seu programa: "Alô-ô! A Elke Maravilha tá namorando. Alô Rrrroooberrrrto, o homem certo".

Roberto viveu o momento de expansão de Elke na Globo. Os dois participaram do programa *Guerra dos sexos*, uma competição em que os casais respondiam a perguntas um sobre o outro. "A gente não conseguiu falar nada porque o Agnaldo Timóteo estava lá e roubava toda a atenção", ele se lembra.

O namoro terminou no começo dos anos 1990 com um distanciamento gradual, sem brigas. "Fui pra Copa de 90 na Itália com uns amigos e ela também viajou, aí na volta nos desentendemos e o relacionamento foi esfriando", conta Beto. O casal não se falou depois de terminar.

Mas o período entre 1982 e 1988 foi de calmaria na vida de Elke. As rusgas eram poucas, como uma que ocorreu no começo de fevereiro de 1983. O Chacrinha estava prestes a começar o programa, mas não conseguia sair do sofá do camarim. Estava com febre, por causa de uma sinusite que não reagia a remédios. Paulo Silvino, que já tinha substituído o Chacrinha em 1967, entrou no camarim enquanto o Velho Guerreiro tiritava de febre, e Elke tentava acalmá-lo. Paulo disse: "Tá, eu apresento hoje! Quando é que vocês vão entregar esse programa pra mim?". O Chacrinha respondeu: "Espera eu morrer, porra!". Elke tomou as dores do Chacrinha e contou o episódio pelas décadas seguintes, sobre como a televisão pode ser um ambiente desleal. Mas outra pessoa que estava na sala diz que tudo não passou de brincadeira. "O Paulo Silvino era um grande gozador. Ele foi ao camarim pra ajudar o Chacrinha. Rindo, mostrou os dentes e fez piada", diz Boni.

O mesmo clima anárquico de palco renderia alguns acidentes de trabalho. Num programa de 1984, enquanto Carlinhos Borba Gato cantava, Elke, que estava de véu preto e um casquete de penas, batia palma na bancada. De repente, foi atingida por um objeto voador não identificado. Algo jogado da plateia atinge a jurada, que estava sendo filmada no momento do impacto. Era uma laranja cortada. A metade da laranja ricocheteou no pescoço de Elke e aterrissou na cabeça do cantor Jerry Adriani. Ela abriu a boca em choque, mas sem desmontar o sorriso. Massageou com o dedo a lateral do pescoço e continuou dançando.

Poucas vezes Elke perdia a compostura em cena. Uma delas foi quando Ney Latorraca visitou o programa, em 1986, para divulgar a peça *O mistério de Irma Vap*, e ela se emocionou na bancada: "Te amo! Te amo! Te amo! Te amo", ela gritou. Ney Latorraca respondeu: "Meu amor, é recíproco!".

Na época, Ney e Elke estavam gravando juntos a minissérie *Memórias de um gigolô*. Nela, Elke interpretava madame Yara, uma cafetina que morava numa casa tão grande que era conhecida como Palácio de Cristal, e que tratava as garotas de programa de seu bordel como se fosse uma presidente. Teresa, que cuidava dos remédios, por exemplo, era chamada de ministra da Saúde.

O figurino da personagem incluía roupas dos anos 1920, batom roxo e sobrancelhas desenhadas com lápis de olho. "Era o tipo de coisa que eu usava, ou já tinha usado em algum momento da minha vida", disse Elke.

A gravação era uma festa. Latorraca conta que uma vez chegou gripado ao set. Elke e Bruna Lombardi o papaparicaram por dias. "A Elke me encheu de remédio. Ela dizia 'Tem que tomar isso, isso e isso'. E tirava da bolsa um monte de remédios americanos, que comprava nas viagens, e ia enfiando na minha boca."

A convivência foi de algumas semanas, mas deixou em Ney uma marca de admiração que durou a vida toda. "A Fernanda Montenegro e eu estávamos conversando sobre isso outro dia. A gente tem uma coisa na classe artística: não é a quantidade de vezes que você vê uma pessoa que determina o amor que você sente por ela. Você pode se encontrar com uma pessoa por segundos e amá-la. E foi assim com a Elke."

Madame Yara foi um sucesso. A Globo sondou Elke para migrar para o núcleo de dramaturgia, e fazer mais novelas e séries. Ela recusou. "Eu não atuo", ela repetia. A questão é que Elke defendia que sua jurada não era um personagem. "Eu não sei fazer outra coisa, sou eu mesma. Aquilo sou eu, vestida de eu, falando as coisas que eu falaria."

Em 1987, o Chacrinha foi tema de samba-enredo no Carnaval do Rio de Janeiro. Ao fim do desfile da escola Império Serrano, em que atravessou a avenida em cima de um carro alegórico com Elke, o apresentador foi abordado pela imprensa. "Foi lindo, eu me senti muito homenageado", ele disse aos microfones. O repórter da TV Manchete então virou-o para Elke, que teve uma visão mais dura da homenagem. "Não fizeram mais do que a obrigação! Ele foi uma das primeiras pessoas que deu força pra televisão brasileira." Ela gargalhou antes de pegar o repórter pela nuca e direcionar a boca dele para a dela. "Na boquinha, na boquinha!", pediu.

Os anos 1980 foram de uma constância rara na vida de Elke. Mesmo emprego. Mesmo namorado. Mesma casa. Mesma mudança alucinante de um figurino por semana. Até que em 1988 veio uma mudança que já se anunciava havia anos.

O Chacrinha, que lutava contra um câncer de pulmão, começou a se afastar aos poucos do programa. O humorista João Kléber passou a dividir a apresentação do *Cassino do Chacrinha* em 1987. Enquanto Chacrinha descansava no camarim, com um tubo de oxigênio lhe facilitando a respiração, João chamava os convidados, animava a plateia e conduzia os jurados. Em 30 de junho de 1988, o Chacrinha morreu em casa, vítima de problemas cardíacos ligados ao tratamento do câncer.

Elke foi avisada minutos depois da morte. Saiu da festa onde estava, com uma blusa florida que deixava seus ombros de fora, e correu para a casa do apresentador, na Barra da Tijuca. "Eu tenho pena da gente. E vou sentir saudades dele, mas ele está aqui na gente, aqui, ó", disse aos repórteres uma Elke sem maquiagem e de olhos inchados, enquanto batia com a mão espalmada sobre o peito. Sua voz fraquejou e ela não conseguiu dizer mais nada.

O velório do Chacrinha durou dez horas. A Câmara dos Vereadores do Rio era guardada por duzentos policiais militares e 140 seguranças, sendo sessenta contratados pela TV Globo, e 30 mil pessoas passaram para se despedir do apresentador. Havia centenas de coroas de flores. Numa delas estava escrito: "Você é meu ídolo. Obrigada pelos ensinamentos e exemplo de vida". Tinha sido enviada por Xuxa Meneghel. Elke e outros colegas de programa ficaram ao lado do corpo quase o tempo todo. "Mas eu nunca me senti tão sozinha num lugar", disse Elke. Ela ficou uma semana sem conseguir sair de casa depois do enterro.

Meses depois da morte do Chacrinha, Elke voltou a estar no palco de um homem para quem tinha prometido nunca mais trabalhar.

1984

O dia de Natal de 1984 foi um dos menos festivos para a família Grünupp: George morreu. Elke tinha adoração pelo pai. Não era raro que ligasse para ele quando tinha alguma dúvida profissional. E também falava de George em entrevistas: "Meu pai era assim, ele falava duas vezes. Na terceira, era porrada. Porrada às vezes acorda a gente", ela disse para o jornal *O Povo* em 2007. "Minha mãe era uma boa amiga. Mas o ídolo era meu pai."

Elke narrava como sua atividade predileta era sair para caçar com o pai e os amigos pelas matas de Itabira. Uma vez, ele a levou no lombo de cavalo até o lugar onde uma dúzia de mulheres bordava e conversava. Elke, com dez anos de idade, perguntou a George: "Eu preciso ser que nem mulher?". Ela contava que ele gargalhou e disse: "Não, você pode ser o que quiser".

Francisca morava na França e George dividia o apartamento da avenida Paulista com a mulher e os três filhos homens, Francisco, George Filho e Gregório. Os três irmãos homens haviam trabalhado com George em algum momento. Uns foram office boys da Liquigás, quando o pai era executivo da empresa, outros foram com ele para a Amazônia quando George prospectava negócios no ramo de exploração da madeira.

Mas era com a filha mais velha que ele tinha selado um acordo. "Se ele chegasse a um limite, de dor ou de não ser mais independente, ele sempre pediu que eu o matasse", ela contava. Não foi preciso. O pai, que sofria de arritmias cardíacas, partiu sem sofrer. Elke recebeu a notícia com dor, mas se manteve firme. Ela gostava de dizer que era uma pessoa trágica, não dramática. "O trágico não chora, ele pranteia", ela repetiu por quarenta anos. Na noite da morte do pai, Elke bebeu em sua homenagem.

No ano de sua morte, George havia publicado o livro *Conheça a maçonaria do Brasil*, um guia sobre a história e as intenções da maçonaria, onde ele havia alcançado o grau 32, uma das patentes mais altas. A orelha do livro prometia uma segunda obra, com as memórias do homem que tinha se mudado da Segunda Guerra Mundial para a paz de Itabira do Mato Dentro. Mas não houve tempo para George terminar o livro de sua vida.

De 1988 a 1993

"Ué, mas você não disse que não ia mais trabalhar comigo?", perguntou Silvio Santos à mulher que entrou em seu camarim em setembro de 1988. "Eu vim porque a gente tem um carma e precisa resolver esse carma", respondeu Elke Maravilha. "Eu já te convidei em 1981 e você me esnobou. Vai me esnobar de novo?", retrucou Silvio. Ela abaixou a cabeça.

Era 1988, o contrato de Elke com a TV Globo tinha acabado e o canal decidira encerrar o *Cassino do Chacrinha*, em vez de continuar o programa com João Kléber ou um dos filhos do apresentador comandando o palco. A Globo não encontrou onde encaixá-la na programação. "Nós utilizamos a Elke em vários outros programas, mas ela não abria mão do personagem que criou pro Chacrinha", explica Boni. E Elke estava sem emprego.

Anos antes, quando estava no *Programa Silvio Santos* e foi convidada a voltar a trabalhar com o Chacrinha na Record, Elke foi avisar a Silvio que não renovaria seu contrato. Contava que ele perguntou: "Você vai voltar pro seu Painho?". E ela respondeu: "Sim, ele é meu painho porque me dá amor. E você é meu patrão porque me dá dinheiro". Elke dizia que foi assim que ela criou o apelido "patrão", usado para Silvio até hoje.

Há outras versões para o nascimento do apelido. No livro *Topa tudo por dinheiro*, o jornalista Mauricio Stycer afirma que "o apelido 'patrão' vem justamente do fato de que Silvio jamais foi funcionário de qualquer emissora". Antes de ter o próprio canal, ele comprava horários das emissoras, produzia os programas por conta própria e vendia as propagandas ele mesmo.

O que ambos concordavam é que a convivência era difícil. Silvio chamava Elke de rebelde. Elke afirmava que o apresentador era frio e imitava a TV americana. Quando se separaram, na década de 1970, ambos acharam que nunca mais trabalhariam juntos. Mas Elke voltou para pedir emprego em 1988. E Silvio a contratou pelo mesmo salário que ela recebia do Chacrinha.

Os programas eram gravados no Cine Sol, um cinema da zona norte de São Paulo transformado em estúdio. Silvio Santos comprou o prédio em 1978 e o reabriu em 1981 com o nome Teatro Silvio Santos, que nunca pegou na vizinhança. O prédio foi invadido pelo Movimento dos Trabalhadores Sem Teto no meio da década de 1990, quando os estúdios do SBT já tinham se transferido para um complexo construído em Osasco, e hoje está fechado.

A volta ao SBT marcou o reencontro de Elke com sua dupla cômica, o conservador Pedro de Lara. Os dois tinham mantido contato, por mais que Pedro tenha ficado com Silvio na década que Elke esteve fora. "Trabalhar com o Pedro era sempre fácil. Foi como se a gente tivesse ficado só uma semana separados."

Se nos programas do Chacrinha o caos era a ordem, nos de Silvio imperava muita ordem e nenhum caos. Por exemplo: havia um funcionário, chamado Carlinhos, responsável só por empurrar os candidatos que estavam nervosos demais para entrar no palco, para que o programa seguisse o cronograma. E Silvio, ao contrário do Chacrinha, já gostava de saber quais eram os candidatos bons e quais estavam lá só para provocar risos na plateia e ser debulhados pelos jurados. A lógica meticulosa do programa levava Elke a chamar Silvio de "maquiavélico".

E começava pelos participantes do júri. Montar a bancada de jurados era um jogo de xadrez. Uma composição que misturasse os interesses do público com os do empresário. Para dar credibilidade havia os jornalistas. Pelo menos sete repórteres que entrevistaram Silvio acabaram virando jurados do seu programa. Entram nesse grupo Nelson Rubens, Sonia Abrão e Décio Piccinini. Por outro lado, Silvio dava espaço ao carisma de artistas, como Sérgio Mallandro, Flor, Elke, Aracy de Almeida e Pedro de Lara. Mas também usava poltronas de jurados para cumprir interesses de negócios. Antes de Elke, o jornalista Carlos Renato foi contratado como jurado. Além de ser um jornalista que tinha passado pelos principais veículos de comunicação do país, ele era primo de Dulce Figueiredo, a primeira-dama do Brasil nos anos em que João Batista de Oliveira Figueiredo presidiu o país. Foi no mesmo período que Silvio ganhou a concessão do governo para ter um canal próprio, narra o livro *Topa tudo por dinheiro*, de Mauricio Stycer. "Nada com ele é por acaso", disse Elke. "Nada."

Silvio Santos já sabia até quais calouros iam ganhar o programa antes de começar a gravar, dizia Elke. Três jurados que já trabalharam com Silvio Santos confirmam. O apresentador tinha um sistema para mostrar aos jurados em quem eles deveriam votar. O código, contam os ex-jurados, era de pôr os dedos na lapela do terno. Se pusesse um dedo, os jurados deveriam escolher o candidato ou a candidata que se apresentou primeiro. Se fossem dois dedos na lapela, o segundo competidor. E assim por diante.

A única pessoa de quem ele não esperava obediência era Elke. Mas houve um dia em que Silvio pediu explicitamente para que ela votasse num calouro, que fazia contorcionismo, porque era parente de alguém importante. Mas Elke descumpriu a ordem. "Eu juro que foi um acidente. É porque sou muito desligada e na hora esqueci e votei no melhor." Ela dizia que passou semanas sem quase aparecer no vídeo depois da desobediência. Mas que tudo voltou ao normal meses depois.

Elke seguiu com seu estilo animado, com as notas altas e com o figurino espalhafatoso. Todo domingo à tarde ela entrava no palco ao som da vinheta do programa: "Elke Ma-ra--vi-lha lá-lálálálálá-lálálálá-lálálálálá". A melodia foi escrita nos anos 1920 por dois russos, Boris Fomin e Konstantin Podrevski, e adaptada por Silvio, como ele fez com quadros para o seu programa.

Leão Lobo conta que Silvio o puxou de canto uma vez, no começo dos anos 1990, e perguntou: "Me explica o fenômeno Elke Maravilha, você que é jornalista. Eu faço pesquisa e ela ganha disparado na frente de vocês". Antes que Leão pudesse responder, Sônia Lima, que estava perto e ouviu a conversa, respondeu: "O brasileiro gosta de gente falsa mesmo". As duas não se davam bem. O clima entre os jurados, inclusive, era de competitividade.

"Todo mundo queria te derrubar", conta Leão Lobo. "Mas o Pedro não. O Pedro dava dicas do que a gente deveria fazer. Sussurrava: 'O homem não gosta disso'. Os outros queriam que eu me lascasse." Assim como tantos outros, Leão veio das redações de grandes jornais para a TV. E encontrou apoio na dupla Elke e Pedro, que sempre ficavam num cantinho conversando antes das gravações, separados dos outros.

Elke e Pedro criavam apelidos para os demais. Silvio era o Tiranossauro, por causa do jeito duro que se movia. Sônia Lima tinha virado Sônia Lama. A tensão se estendeu por anos. E começava pelo visual. Ou com o que Silvio diria de seu visual. O apresentador sempre fez comentários em bilhetinhos, que mandava entregar aos funcionários. Frases como "Seu cabelo era melhor loiro" e "Você precisa perder peso". Mas também fazia comentários no ar.

Leão conta de jurados que atrasavam a gravação e punham a culpa no cabeleireiro ou no maquiador do canal, diziam que estavam ficando do jeito que o patrão queria. "E era mentira que era culpa do cabeleireiro! Tinha uma coisa de pequeno poder", diz Leão, que se recusa a dar nomes.

Silvio Santos acreditava tanto na figura do jurado que criou uma categoria para esse profissional no Troféu Imprensa, ao lado de Melhor Ator e Melhor Apresentadora. Elke perdeu por sete anos seguidos até conquistar um prêmio, em 1991. E outro em 1992. E um terceiro em 1993. E a categoria foi extinta depois de seu tricampeonato.

Os anos de SBT também renderam algumas das anedotas que Elke mais contava. Como da noite em que estava no camarim com Pedro de Lara. Elke se desequilibrou no salto e, antes de se estatelar no chão, apoiou a mão no joelho de Pedro de Lara. Mas sentiu algo a mais no meio da coxa do colega. Ela riu e passou a chamá-lo de tripé a partir daquele momento.

Por mais que não fosse o emprego predileto de Elke, tudo corria bem no *Show de Calouros*. Mas, pelo menos uma vez por ano, Silvio chamava a atenção da jurada. "Ele queria me transformar", dizia Elke. Após o término de um programa em 1990, Silvio a chamou em seu camarim. Falou, com a voz menos empostada: "Elke, você só dá dez aos calouros. Você vai ter que dar zero, dar dois". Elke gargalhou: "Se você chamar o presidente da República, eu dou abaixo de zero". A voz de Silvio ficou mais séria: "Mas aqui é um júri sério, Elke". Ela se indignou: "Meu amor, neste país nem júri criminal é sério, você vem dizer que isso aqui é sério?! Me poupe! Agora, o cara que está fodido, eu não vou terminar de foder ele. Eu tô vivendo às custas dele, você está vivendo às custas dele". Elke terminava essa história sempre com a mesma frase: "O Silvio espumava de ódio de mim. Todo mundo achava que ele me amava, mas sempre me odiou".

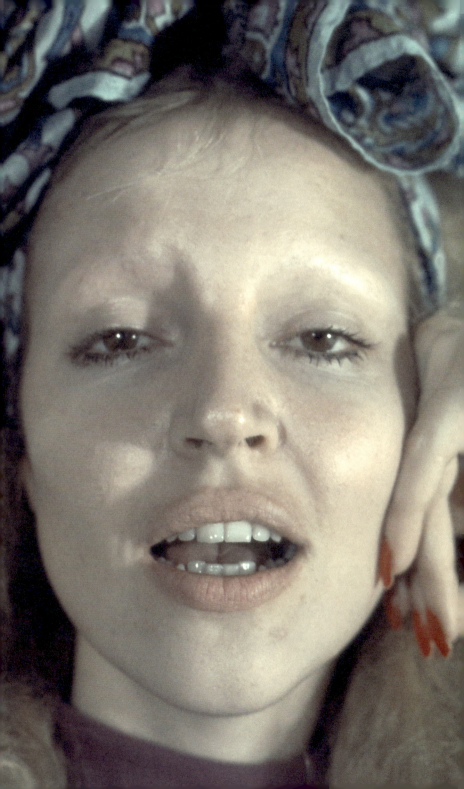

De 1989 a 1993

Uma vez por ano, o telefone fixo de Elke recebia a mesma ligação: por quase vinte anos, seu primeiro namorado dizia "alô" quando ela atendia. Boris Feldman ligava perto do Natal para conversar com Elke Grünupp, a garota com quem ele estudou no Colégio Estadual Central de Belo Horizonte quando ambos eram adolescentes.

Elke e Boris tiveram um namorico na década de 1960. Iam ao cinema de mãos dadas, trocaram beijos e foi só. O namoro durou até pouco depois de ela ganhar o título de Glamour Girl Belo Horizonte e se apaixonar por um homem mais velho. Otto Augusto de Lima era dono de uma empresa de transporte local, a Transoto, e se encantou com Elke. Tinha um avião, e levou Elke, a irmã Francisca e sua mãe pelo menos uma vez para o Guarujá com ele. "Os pais dela acharam ótimo ela abandonar um estudante de engenharia da UFMG e ficar com um herdeiro", diz Boris.

Anos depois, Elke afirmou que perdeu a virgindade com dezesseis anos, com um homem mais velho. Era o período em que estava com Otto, mas ela nunca deu nomes. De qualquer maneira, Boris seguiu sua vida depois do término. "Eu fui apaixonado por ela. Uma mulher linda, inteligente, culta. Como é que você não vai se apaixonar? Mas, enfim, acabou." Ele se formou em engenharia na Universidade Federal de Minas Gerais e trabalhou em montadoras de automóveis antes de virar piloto de corrida e depois jornalista especializado em carros. Casou-se e teve filhos.

"Fui acompanhando a carreira dela à distância. A gente se trombava muito de vez em quando, uma ou duas vezes, em aeroporto. Sempre fazia muita festa um pro outro." Em novembro de 1988, quando era vice-presidente da Confederação Brasileira de Automobilismo, Boris se separou da primeira mulher. No Réveillon de 1988 para 1989, ele foi para Búzios e ligou para Elke avisando que passaria pelo Rio de Janeiro no começo do ano.

Boris ficou hospedado no Hotel Novo Mundo, na praia do Flamengo. Ligou para Elke e deixou um recado na secretária eletrônica, avisando que estava perto. Ela ligou de volta minutos depois. "Vamos sair?", "Vamos sair." Os dois se encontraram no apartamento dela no Leme e foram jantar no restaurante La Fiorentina, um italiano em Copacabana que já era antigo nessa época. "Foi assim uma coisa tão… Sabe quando pinta? Pintou."

O relacionamento veio antes da sobremesa: ela foi ao banheiro e ele fez um bilhete, dobrou e deu para o garçom. Dizia: "Quer namorar comigo?". Ela abriu o bilhete, leu e gargalhou. "Era um sim", ele interpretou. Ficaram juntos por quatro anos depois desse jantar, num relacionamento que ela chamou de casamento, por mais que não tenham assinado papéis nem fossem monogâmicos. "Ela adorava dizer que não era fiscal de pica", diz ele.

Boris morava num condomínio em Brumadinho, cidade a meia hora de carro de Belo Horizonte, que teve bairros soterrados por dejetos de uma barragem da Vale que estourou em janeiro de 2019.

Quando ela não tinha gravações no SBT, voava para Minas e passava a semana na casa dele. Era a volta da artista para a cidade onde passou sua juventude. Mas muita gente não ligava Elke Maravilha a Elke Grünupp.

"A gente saía para jantar e muitas pessoas a reconheciam da TV, mas não sabiam que a menina do colégio tinha virado a mulher da TV", diz Boris. Um dos integrantes da sociedade mineira que não reconheceu Elke foi o médico Flavio de Andrade Goulart, que foi secretário de Saúde de Uberlândia.

Em seu livro de memórias, Goulart narra um encontro com a família Grünupp. "Eu tinha nove ou dez anos e certo dia, ao chegar da escola, dei com o inesperado na sala da casa." A família de Elke estava ali. Passaria uma noite lá antes de pegar um trem para o interior de São Paulo no dia seguinte. "A filha mais velha [...] era uma figura marcante. Loura, alta, esguia. Os cabelos lhe batiam na cintura. Gestos enérgicos de quem dispunha, na família, do estatuto de uma segunda mãe para os irmãos mais novos. Teria seus quinze anos, talvez. Vestia-se de chita, bem à brasileira, mas com aquele porte e o longo cabelo louro, lembrava uma camponesa europeia, se não uma personagem de contos de fadas", ele escreveu.

A imagem, ele diz, o marcou por muitos anos. Mas não estava ligada à artista que ele veria na TV. O livro continua: "Um belo dia, o segredo me foi revelado. Minha mãe, ao ver aquele anjo no jornal ou na TV, comentou: 'mas esta é a filha do seu George; vocês se lembram? Ela esteve conosco, junto com a família, aqui em casa, alguns anos atrás'".

Mas Boris, que ligava Elke Grünupp a Elke Maravilha, confessa que preferia a primeira. "Ela montada não me atraía. Quer dizer, era neutro. Não me incomodava, mas também não me atraía."

Elke, entretanto, não ligava. Continuou usando roupas extravagantes e maquiagem forte para sair de casa. E para viajar. Boris era convidado pelas fábricas para os lançamentos de carros, e Elke ia junto. Foram para New Orleans a convite da General Motors. Aproveitaram a viagem de negócios de Boris e de lá seguiram para o Grand Canyon. De lá, foram para o Alasca.

Esse foi o período em que mais viajou. Os dois foram juntos para os Estados Unidos e viajaram grande parte da Europa.

O casal também visitou o país predileto de Elke, a Grécia. Num restaurante de beira de estrada, Elke entrou cumprimentando os funcionários em grego. O dono do lugar a chamou para ver as comidas, que ficavam em panelões na cozinha. Elke olhou para um cozido e fez, em grego, um trocadilho que pode ser adaptado para: "Nossa, faz tempo que não me dão uma comida tão gostosa". As outras mesas caíram na gargalhada. "Ela falava as línguas tão bem que fazia piada de duplo sentido. E eu fiquei lá sem entender nada", narra Boris. Em outra viagem, ele deixou Elke sozinha numa boate em Atenas e voltou para o hotel. "Não era ciúme não, era que ela estava se divertindo, conversando e rindo, e eu não falava grego." Elke também esteve com ele em São Petersburgo, na Rússia, em 1989, penúltimo ano em que a cidade se chamou Leningrado.

Mas, mesmo longe do Brasil, era difícil se locomover com Elke Maravilha. Era meia-noite numa rua deserta de Copenhague quando alguém começou a gritar "Elke! Elke!" e parou o casal, que saía de um restaurante. Era um fã brasileiro que morava na capital da Dinamarca havia anos.

Os dois se davam bem e tiveram uma relação que ambos os lados chamavam de pacífica, até o fim. "Só tive duas restrições para ela: o cigarro e a bebida. Ela exagerava um pouco na bebida no fim. Acabava a doce Elke e ficava amarga." O relacionamento chegou ao fim em 1993. E, depois do término, também acabaram as ligações de fim de ano.

Pausa

As histórias de Elke estão encharcadas em álcool. Das 76 entrevistas feitas para este livro, apenas quatro não envolveram bebidas alcoólicas. Até uma freira carmelita se tornou uma das melhores amigas de Elke depois de uma noite regada a vinho.

Só que o álcool era mais do que uma anedota na vida da artista. Elke preenchia a maioria dos requisitos usados pela Organização Mundial da Saúde para diagnosticar uma pessoa dependente. Bebia com frequência diária. Bebia cada vez mais. Gastava muito tempo na utilização de álcool e na recuperação de seus efeitos.

Mas fugia de outros indícios de dependência. Amigos e namorados não lembram de um compromisso, pessoal ou profissional, que ela tenha deixado de cumprir por causa da bebida. "Só era um estilo de vida. Essa porra de estilo de vida artístico", diz Sacha, o último marido. "Para outras pessoas pode ser um problema, na medida que vai mudar sua vida. Mas, para ela, não era."

O paladar etílico de Elke nasceu cedo. "Vim da Rússia com vodca no sangue. E em Minas já me davam cachaça na chupeta." E evoluiu com o tempo. Começou com cachaça mineira, quando ela ainda morava em Belo Horizonte. Ficou mais cosmopolita quando ela estava na Europa e se apaixonou por uzo, bebida destilada de anis, na Grécia. Foi uísque na época do espetáculo de teatro de sua trupe. Conhaque em seguida. Tomava

cerveja só se tinha muita sede, e misturada com Campari. E seu gosto voltou a ser cachaça a partir dos anos 1980. E foi fiel à caninha até o fim. "Ela veio de Minas e sabia o que era cachaça. As pessoas davam garrafões de cachaça mineira para ela. Sempre tinha um estoque da melhor qualidade em casa", conta Rubens Curi. No fim da vida, diz o produtor Ton Garcia, Elke tomava uma garrafa de vodca e uma de cachaça antes de ir para a cama.

Numa conta conservadora, de meio litro por dia, durante os cinquenta anos de carreira artística Elke bebeu uns 10 mil litros de destilado. E nunca pensou em parar de beber. "Ser alcoólatra deve ser terrível", ela comentava com amigos. Das poucas vezes que alguém abordava o assunto, baixava o Grünupp nela, e ela encerrava o assunto com uma frase: "Bebida pra mim não é problema, é solução", e batia o copo na mesa. Ou apelava para problemas mais graves do que seu consumo de bebida: "Eu quero falar de coisas maiores do que essa porcaria".

O vício chegou a ser motivo de piada. A Academia Boêmia de Letras, um grupo de amigos que desde 1960 elege a elite etílica do Brasil, declarou Elke uma Catedrática Imortal, junto com o maestro Tom Jobim e o cartunista Jaguar.

É possível que o álcool tenha causado, ou no mínimo agravado, a úlcera no estômago que a levou a ser internada no fim da vida, ou a arritmia cardíaca que ela tratou por trinta anos.

Mas não só ele. Elke chegou a fumar três maços de cigarro por dia. Fumou em aviões, indo fazer desfiles na Europa. Fumou na bancada do Chacrinha na TV Globo. Fumou escondida dentro de hospitais nas poucas vezes que foi internada, quando fez uma plástica de papada no fim dos anos 1980 e uma lipoaspiração anos depois.

Elke era fiel às marcas de cigarro que amava. Fumou Charm por trinta anos, passou por Marlboro Light e, nas últimas décadas de vida, fumava Free Light. Elke fumava, mas não tragava. "Tenho tesão na garganta", dizia para quem perguntava como alguém fumava até três maços de cigarro num dia. E mostrava como fazia, levando o ar até o fundo da boca e expelindo antes que ele descesse para o pulmão. Foi perto de 1 milhão de cigarros em 55 anos de tabagismo.

Nos anos 1980, um amigo chegou para ela e disse: "Elke, parei de fumar". Na hora, ela entendeu que esse amigo só não tinha dinheiro para comprar cigarro e jogou um maço de Marlboro Light para ele. "Ah, deixa de ser bobo." E assunto resolvido, ele fuma até hoje.

Além da bebida e do cigarro, Elke era ligada em café. Chegava a beber um litro por dia, por mais que não soubesse fazê-lo. Um dia, seu amigo Rubens chegou a casa e a encontrou sentada no canto da sala, com uma xícara de café solúvel em temperatura ambiente na mão. Ele perguntou o que tinha acontecido. "É que eu não sei usar o fogão e deu vontade", ela respondeu. Brincava que era tão má cozinheira que até sua água fervida passava do ponto. Tomava pouca água, mas começou a se esforçar por questões de saúde. Contudo, recusava-se a beber o que chamava de água choca: só tomava água com gás e limão espremido.

Não foi só a água que ela experimentou e abandonou. "Eu experimentei crack lá nos Estados Unidos, experimentei três vezes", contou a Marília Gabriela em 2013. Mas repetia que brincou com todas as drogas, e não o contrário. "Eu não preciso disso. Você só toma uma droga e fica com ela porque precisa disso. Você tem uma falta de euforia, vai achar ela no crack. Eu não preciso de droga nenhuma."

Elke defendia que ela, e sua geração como um todo, usava drogas para autoconhecimento, não para fuga. "Com LSD, eu via os defeitos que eu tinha, as qualidades que eu tinha. Cocaína é droga de poder, não acho graça, maconha é relaxante. Eu já sou relaxada, então dormia. [...] A única que realmente é a minha droga mesmo é a cachaça."

Cheirou cocaína de uma bandeja de prata, servida na casa de um músico brasileiro em Nova York. "Comecei a falar da história do Brasil República, explicar tudo de 1700 para a frente, não parava de falar." Curtiu metaqualona, droga sedativa comum nos comprimidos para dormir dos anos 1970. "Gostava de um Mandrix. Eu fui mandracona", ela disse, usando o apelido para quem usava Mandrix recreativamente. Mas esses usos eram pontuais.

Se houve uma droga da qual ela manteve distância a vida toda, essa droga era o poder. "Poder mata à beça e é o que mais droga [...]. O poder não corrompe, revela. Tá na cara que você se drogou de poder."

A partir da virada dos anos 2000, sua droga passou a ser a de farmácia. "O meu saco de remédio é deste tamanho", ela dizia, e punha uma mão na altura da testa e outra na altura do peito. Dizia que tinha muitas doenças, mas não sofria de doença nenhuma. Teve diabetes, colesterol alto, água na pleura e um problema de coração herdado dos pais, que morreram de arritmia cardíaca. "E tá tudo bem, enquanto remédio resolver, eu me drogo", e dava de ombros.

1993

Em 1993, Elke teve seu relacionamento mais curto. O namoro, o casamento simbólico e a separação, somados, duraram menos do que o segundo semestre do ano. E o amor morreu antes que ela fosse morta.

Seu parceiro era um fã. Um homem moreno, forte, de cabelos compridos e um sorriso fácil. Ele tinha um nome, mas Elke só se referiria a ele como o Psicopata. Como nenhuma queixa foi apresentada contra esse homem, e ele não foi encontrado para comentar as acusações, seu nome será omitido.

Elke o conheceu por intermédio de sua empregada, que ela chamava de Tia. A mulher trabalhou com Elke dos anos 1970 até o começo da década de 1990. Cuidava das finanças da casa e da agenda de Elke. Um dia, um fã apareceu na porta do prédio no Leme e a parou para conversar. A empregada o achou simpático e bonito. E decidiu apresentá-lo de surpresa para Elke.

Uma noite de agosto, ela voltou de São Paulo e encontrou o jovem sentado em seu sofá. Como aconteceria algumas outras vezes, nem pestanejou: ofereceu um drinque a ele e começaram a conversar. Terminaram a noite dormindo na mesma cama.

Poucos meses depois de terem se conhecido, Elke e o Psicopata fizeram uma festa de união. O apartamento de setenta metros quadrados comportou cem pessoas. Havia atrizes, mães de santo, empresários e advogadas. Alguns convidados já saíram do casamento se perguntando quanto tempo duraria.

"Eu não pude ir, estava viajando. Mas minha filha mais velha foi. E voltou pra casa falando que tinha alguma coisa esquisita com o noivo", conta Zezé Motta.

Duas semanas depois da festa, uma amiga em comum ligou para Rubens Curi, que estava em Curitiba, e falou que estava preocupada com Elke. "Estou achando que ela pode acabar se machucando se ficar com esse cara. Ele não sai de casa e está se revelando alguém complicado."

Rubens fez uma mala e foi passar uma temporada no Rio, para proteger a amiga. Assim que chegou ao Leme, notou que havia algo de errado. Elke estava bordando sem parar. Toda vez que ela estava nervosa ou triste, bordava. Fazia adereços para si mesma e presentes para os amigos. No primeiro mês de casamento, ela já tinha bordado cinco peças. "Ela ficava no sofá bordando, bordando e bordando. E ele não saía do quarto. Ficava no escuro, 24 horas por dia, cheirando cocaína."

O marido só saía do quarto de madrugada e se sentava na frente da televisão para ver um filme. Não um filme qualquer, toda noite o mesmo filme. *O guarda-costas*, com Whitney Houston e Kevin Costner. "Ele dizia que era o guarda-costas da Elke." E essa foi sua lua de mel: ver o filme dezenas de noites seguidas, ao lado do marido.

Na maioria das sessões de *O guarda-costas*, Elke estava de pijama. Mas o marido estava montado com um figurino completo: vestido, bota, peruca. "Ele gostava de usar minhas roupinhas. Achei aquilo um barato no começo, mas depois azedou, né?", dizia Elke. Rubens conta que o viu vestido com as roupas dela um punhado de vezes. "Da primeira vez, eu o vi apresentando o programa Elke no sofá de casa, como se fosse ela, a apresentadora."

Certa noite, Rubens chegou a casa e viu uma faca cravada na porta do quarto, e os dois deitados na cama. Seu coração gelou. Só constatou que a amiga estava viva por causa do ronco. "Ela roncava bastante."

No dia seguinte, Elke contou que tinha acordado de madrugada com o marido sentado na poltrona, ao lado da cama, vestido de Elke, olhando fixo para ela enquanto acariciava a faca. Quando ela acordou, ele se levantou e andou até a cama. Encostou a faca em seu pescoço e disse: "Não dói nada".

"Por sorte, a Elke tinha um instinto de dormir em situações de perigo ou de muita tensão. E foi isso que aconteceu, ela apagou enquanto ele a ameaçava de morte. E acho que ele ficou puto que ela não demonstrou medo e cravou a faca na porta, onde estava quando eu cheguei", conta Rubens.

Dias depois disso, Rubens foi ao apartamento e encontrou Elke do lado de fora, com um chaveiro trocando a tranca da porta. Ela olhou para ele e disse: "Arruma sua mala, vamos para São Paulo!".

Numa cena de filme policial, eles fugiram de táxi e chegaram ao Santos Dumont. Os dois se esconderam numa mesa no canto do bar do mezanino do aeroporto e ficaram bebendo uísque até a última chamada para a ponte aérea em que embarcariam. Não queriam ser vistos por ninguém. Chegando a São Paulo, não foram para o apartamento da família de Elke, na avenida Paulista. Seguiram para a casa de um amigo dela. No dia seguinte, zarparam para a fazenda desse amigo, em Minas. Na fazenda, ela começou a namorar um psicanalista. Brincava que foi de um maluquinho para um analista em menos de uma semana.

Elke se escondeu por quase um mês. O ex-marido, que estava proibido de passar da portaria do prédio, ligava dezenas de vezes por dia. Elke não atendia na maioria das vezes.

Aconselhada por amigos, Elke contratou um segurança quando voltou ao Rio. No terceiro dia de trabalho, Rubens passou no apartamento e encontrou o segurança mais à vontade: sem camisa, deitado no tapete, enquanto Elke estava deitada no sofá, os dois fartos de cachaça, gargalhando.

1993

Em agosto de 1993, Elke passou dias sem sair de casa ou tomar banho. Ela não estava deprimida. Estava lutando para não perder o imóvel de sua família, na avenida Paulista, que podia ser desapropriado a qualquer momento. O prédio em que Elke morou em São Paulo era um perigo público, afirmava a prefeitura.

O apartamento de três quartos que George Grünupp comprou quando se mudou para São Paulo recebeu uma ordem de evacuação do poder público, assim como todos os imóveis do prédio, na frente do parque Trianon.

O edifício Baronesa de Arary foi o primeiro prédio residencial da avenida Paulista. Inaugurado em 1954, o prédio tem 25 andares e quase quinhentos apartamentos, onde chegaram a morar 3,5 mil pessoas. A planta do Baronesa é mista. Há lá 431 quitinetes, distribuídas nos blocos Rajá e Capri. Cem apartamentos de dois quartos, no bloco Acapulco. E 25 apartamentos de três quartos, no bloco Côte d'Azur, onde a família Grünupp morou desde o começo da década de 1970.

Em seus primeiros anos, o prédio era um dos mais sofisticados da cidade. A atriz e diretora Cacilda Becker foi a primeira dona da cobertura, onde organizava saraus. A Casa Vogue, loja de tecidos e de vestidos finos, realizava no jardim de inverno do prédio desfiles e mostra de alta-costura, narra o livro *Baronesa de Arary: Nobres, pobres, artistas, oportunistas*, do jornalista José Venâncio de Resende.

Acontece que o prédio, que foi projetado para ter piso vermelho que imitasse o tapete das estreias de cinema, não sustentou o glamour de sua inauguração. No meio da década de 1970, as famílias mais ricas que moravam no imóvel começaram a migrar para bairros como Morumbi e Real Parque. O edifício se deteriorou. Prostitutas, camelôs e marginais passaram a ocupar os apartamentos. Nos anos 1980, o nome do prédio já havia sido esquecido. Ele era chamado de Cortição ou Treme-Treme da Paulista.

A família Grünupp, entretanto, não se mudou. Durante a maior parte de sua vida paulistana, George trabalhou no Conjunto Nacional, a dois quarteirões do prédio. Elke dizia que gostava da nova vizinhança, inclusive. "A diversidade é isto: é barulho, é sujeira, é cheiro!". Até que, no começo de agosto de 1993, o Contru, Departamento de Controle de Uso de Imóveis de São Paulo, divulgou um relatório sobre o prédio. O documento afirmava que a parte elétrica do prédio funcionava com gambiarras clandestinas. A vistoria apontou que não havia extintores e mangueiras contra incêndio, mas não faltava lixo nos corredores e os elevadores estavam desligados. A fiação era tão precária, afirmava o laudo, que a principal avenida do país corria o risco de sofrer um blecaute por causa do prédio. O prefeito Paulo Maluf ordenou a evacuação imediata do prédio.

Maluf e o então secretário da Habitação, Lair Krähenbühl, afirmaram que as famílias do Baronesa de Arary iriam receber apartamentos em Itaquera, no extremo da zona leste da cidade. Elke desobedeceu aos fiscais. "Eles vinham bater na porta, e ela atendia com aquelas roupas, peruca, todo mundo ficava embasbacado. E com um pouco de medo, acho", diz Carlos Mufre, que morava no prédio na época.

Enquanto centenas de pessoas saíam, carregando o que conseguiam, Elke se encastelou no apartamento com alguns de seus sobrinhos. No segundo dia, a luz foi cortada. No quinto,

a água parou de ser entregue ao prédio. Todos os Grünupp deixaram o imóvel, menos ela. "O Maluf que leve a família Maluf para morar em Itaquera", gritou Elke Maravilha da janela do quarto andar para repórteres que esperavam no térreo. "Ela acreditava que aquilo era um negócio imobiliário ligado ao Maluf pra transformar o prédio num hotel e lucrar", diz o amigo Rubens.

Não era o primeiro embate do político com a artista. Em 1986, quando era deputado federal, Paulo Maluf apareceu de surpresa numa leitura da peça *As bacantes* no Teatro Oficina, de Zé Celso Martinez Corrêa. Já na época, Zé Celso havia feito um apelo público para que Maluf tomasse seu lado na disputa do Oficina com Silvio Santos por um terreno que o Homem do Baú tem ao lado do teatro. Enquanto o dono do SBT quer construir um prédio no terreno, Zé Celso quer fazer da área um centro cultural, e o embate não havia terminado em 2021.

Numa noite de 1986, Maluf apareceu de surpresa no teatro e disse que queria participar da peça. Leu as falas de Penteu, um semideus que era neto da deusa Harmonia. Já Elke interpretava Dioniso, o deus da festa, do vinho, da loucura e do teatro. A peça narra como Dioniso, ou Elke, mata Penteu, ou

Maluf, por engano. E depois o ressuscita. "Só lendo as falas dela, ela fazia as pessoas rirem do Maluf. Esse é o maior dom do senso de humor, é fazer rir do outro sem ele perceber, revelar o ridículo que existe por trás da realidade", diz Zé Celso.

Enquanto fazia sua greve, Elke contratou advogados para conseguir na justiça o direito a ficar no imóvel de sua família. Em menos de uma semana, uma liminar permitiu que os moradores da torre Côte d'Azur, onde ficavam os apartamentos de três quartos como o da família Grünupp, pudessem voltar às suas casas. A luz foi religada e a água voltou a jorrar da torneira.

Mas dentro da família havia quem discordasse da posição de Elke. "A interdição deveria ter ocorrido bem antes de 1993", disse à *Folha de S.Paulo* Gregório Grünupp, o irmão que tinha feito e torrado uma fortuna em Serra Pelada.

Os apartamentos dos outros blocos demoraram quase dois anos para terminar de ser liberados. A prefeitura pagou caminhões de mudanças para dezenas de famílias voltarem ao prédio, que tinha passado por algumas reformas, mas ainda apresentava problemas. O prédio ficou por anos sem interfones.

Meses mais tarde, Elke estava numa casa nova. Ainda dormia no Baronesa de Arary, mas passava catorze horas de seus dias num galpão da rodovia Anhanguera: Elke estreou no SBT o talk show que levava seu nome. E que durou menos de um ano.

1993

A tela do SBT mostrava uma Elke com peruca feita de espirais plásticos usados em cadernos. Elke com três girassóis de pano na cabeça, cada um maior que seu rosto. Elke sorrindo, com um moicano feito de bobinas de papelão cobertas por cabelo loiro sintético. A voz grossa do narrador avisava: "Está chegando o novo programa: Elke. As perguntas mais picantes da TV. Estreia nesta segunda, quatro e meia da tarde!".

O telespectador brasileiro ficou sabendo com poucos dias de antecedência que Elke teria um programa de entrevistas com seu nome a partir de 21 de junho de 1993. Elke também foi informada em cima da hora: Silvio Santos decidiu que queria um talk show comandado pela jurada menos de três meses antes do primeiro episódio.

A produção foi feita às pressas. O estúdio era composto por paredes de madeira em tons pastel, três poltronas feitas de tecido de cortina, mesinhas em que ficavam os pedestais com microfones e plantas artificiais. A estética de sala de espera de dentista se chocava com a imagem de Elke, que preparou mais de trinta figurinos para dar conta do programa diário. Seu guarda-roupa ia de uma bota de vinil preta que terminava na virilha a uma peruca loira com três andares. É que não era Elke quem escolhia o cenário, e sim Silvio Santos.

Mesmo com a correria e os desentendimentos entre o dono do canal e a apresentadora, o programa estreou no prazo previsto. Assim que entrou no ar, no primeiro programa, Elke pediu a bênção para o Chacrinha. "Onde o Painho estiver, a gente pede a bênção. Nós estamos precisando tanto da sua bênção, pelo amor de Deus!" E agradeceu ao pai de santo Luís d'Oxum, que lhe mandou orquídeas.

O programa de Elke era menos ameno que a concorrência. Logo na estreia, ela recebeu Jorge Lafond, o humorista que meses antes havia começado a interpretar o personagem Vera Verão. Lafond e Elke protagonizaram este diálogo, em rede nacional:

"O que você pensa da situação do negro e do homossexual no Brasil?", Elke perguntou.

"Quando se trata de negros é meio apertada, é uma coisa perigosa. Tem esses dois preconceitos, de ser negro e de ser homossexual. Pra mim, eu não dou pelota [...]. Eu levo minha vida do jeito que eu sempre considerei [...]. Mas eu sei que pras outras pessoas se torna uma coisa muito pesada [...]. Pra mim, seriam três: além de ser negro, [sou] homossexual e artista. São três preconceitos fortíssimos."

Elke balançou a cabeça para a frente e para trás e fez piada: "Sabe de uma coisa? Eu não tenho nada contra branco não". Lafond e Maravilha gargalharam. Carlos Alberto de Nóbrega, dono do programa *A Praça é Nossa* e na época chefe de Lafond, ficou quase um bloco inteiro em silêncio enquanto os dois conversavam. Lafond e Maravilha terminaram a entrevista dizendo que o sonho de ambos era o fim da aids.

Os temas tratados com os entrevistados eram tão exóticos quanto o figurino da apresentadora. No dia em que usou um ornamento de cabeça alto e quadrado, como o de uma rainha egípcia, Elke entrevistou o maior especialista em minhocas do Brasil. No episódio em que estava com uma peruca rosa-chiclete e botas prateadas até o meio da coxa, recebeu o padre Júlio Lancelotti, da Pastoral da Criança. Lancelotti fez um apelo: "Nossas crianças, além do HIV, são crianças abandonadas".

Todos os dias, Silvio mandava bilhetes que eram recebidos como torpedos pela produção do programa. Criticava os temas tratados no ar e fazia comentários sobre a desenvoltura da apresentadora. Ele, por exemplo, não gostava que Elke tivesse de tirar e pôr os óculos para ler informações nas fichas. "Achava que era perda de tempo do programa, de tempo valioso", diz um produtor que até hoje está no SBT e que pediu para não ser nomeado. Mas Elke fingia que não lia os recados. E seguia fazendo a televisão que ela queria.

Além de realizar entrevistas sobre temas que considerava relevantes, Elke animava uma plateia de trinta pessoas e recebia um número musical por programa. Pisaram em seu palco Angélica, Biafra, RPM e Sivuca, em cujo colo ela sentou na frente da musicista e compositora Glória Gadelha, que então era sua esposa.

Até que, no meio de dezembro, Elke celebrou um casamento gay no estúdio, por mais que o Brasil ainda estivesse a vinte anos de distância de legalizar a união para todos. "Não pegou bem. O Silvio é conservador e a Elke é o contrário de conservadora", diz o produtor. O episódio provocou o descontentamento de Silvio Santos, que disse em público que o canal não podia passar um programa assim.

Segundo o *Almanaque SBT 35 anos*, o problema de Elke não foi audiência. A publicação, lançada em 2016, dedica uma página ao programa *Elke*, com o seguinte texto: "Elke Maravilha comandou o primeiro talk show vespertino do SBT, que rendeu bons índices de audiência".

O programa chegou a dar quinze pontos de audiência. Para se ter uma ideia, a média do SBT no ano de 1993 foi de nove pontos. Em seus picos, Elke encostava na audiência média das tardes da TV Globo, que foi de 18,4 pontos em 1993.

Mas a audiência não impediu o programa de ter uma morte tão súbita quanto seu começo. No fim de dezembro, o salto da bota de Elke ficou preso num buraco na rua da Consolação, e ela torceu o calcanhar. Foi para o hospital e avisou ao SBT que não poderia gravar enquanto estivesse internada.

Depois de três dias distante, voltou para o SBT em 1º de janeiro de 1994. Entrou no camarim e suas maquiagens não estavam mais em cima da bancada. Havia um homem com um terno largo demais sentado na cadeira em frente ao espelho. Achando que estava enganada, Elke pediu licença, saiu da sala e fechou a porta, para conferir o número do camarim. Era a sala certa, mas, no lugar em que costumava haver uma estrela com o nome Elke Maravilha, não havia mais placa alguma.

"Forças ocultas o tiraram do ar", ela disse em entrevista à revista *IstoÉ Gente* em 2006. "Ninguém me deu explicações, mas tenho duas hipóteses. Quando eu dava três, quatro pontos de ibope, estava bom. Quando subiu pra picos de quinze, tiraram do ar. Não sei qual o problema deles com ibope. Mas a verdade é que o programa saiu do ar no dia seguinte ao que coloquei um casamento gay no ar."

A teoria de Elke encontra respaldo na história. Em 1988, Silvio Santos mandou divulgar aos funcionários de seu canal um manual de conduta para toda a programação do SBT. Um dos princípios da cartilha era: "Não vamos agredir nosso público em seus costumes e suas crenças; o respeito ao telespectador é fundamental". Como nunca foi cancelada ou suplantada, a regra ainda vale no SBT em 2021.

Mas é sempre arriscado tentar encontrar a lógica nas decisões do dono do SBT. Em 2004, por exemplo, ele ordenou que se criasse um programa para competir com o *Vídeo Show*, da Globo, e escalou sua filha Silvia Abravanel para apresentar o *Programa Cor-de-Rosa*, com fofocas, entrevistas e o resumo de novelas. Exatos três meses depois de ir ao ar, o programa foi cancelado de um dia para o outro, por ordem do patrão.

Foi assim que Elke Maravilha descobriu que seu talk show não iria mais ao ar, no começo de 1994. Chegou ao camarim e viu que a sala havia sido repassada para o radialista Paulo Lopes, que comandava um programa de debates. Elke saiu e programas como *Aqui Agora*, o tabloide televisivo que explorava crimes e o mundo cão, ganharam mais tempo na grade do SBT. Não houve anúncio público do fim do programa. Elke não perguntou a ninguém o que havia acontecido. Entrou no mesmo carro que a havia levado para o estúdio e partiu. Seu contrato com o canal foi até 1996, e ela passou três anos aparecendo no *Novo Show de Calouros* — muitas vezes apresentando a competição de talentos —, porém nunca mais falou com Silvio Santos fora do palco.

Silvio Santos não comenta a briga. Em abril de 2019, 25 anos depois de mandar tirar o programa de Elke do ar, eu o encontro na porta do salão em que ele corta o cabelo, às sete da manhã. Digo que estou escrevendo a biografia de Elke. Silvio responde: "Ô, que maravilha!". E pergunto como era o relacionamento dos dois. Ele responde: "Eu não faço entrevista".

Mas Silvio Santos já havia me dado pelo menos cinco entrevistas ali, na entrada do salão do cabeleireiro Jassa, nos últimos anos. Ele não tinha se negado a falar sobre uma dona de casa que o processou na justiça, alegando ser sua filha, nem sobre como contratou uma auditoria para fazer a sucessão de suas empresas para suas filhas. Mas, sobre Elke, Silvio se mantém calado.

Quando Silvio está prestes a fechar a porta do salão Jassa, pergunto o que ele achava de Elke Maravilha. Ele responde: "Absolutamente nada".

De 1994 a 2007

Ailton Cesar Alves foi batizado aos 22 anos de idade, numa noite de 1994. Era Ailton quando entrou no quarto de Elke Maravilha, 27 anos mais velha que ele, e passou a ser Sasha Altai a partir do momento em que saiu.

O encontro dos dois foi caseiro e improvável. Elke já era uma estrela nacional havia duas décadas. Sasha era um jovem curitibano de cabelos pretos mais compridos que os dela. Ele não sabia o que queria fazer da vida. Ela, tampouco. Ambos só sabiam que eram artistas.

Na primeira noite em que ficaram juntos, Elke olhou para ele e disse que Ailton não era um nome artístico o suficiente: "Você é libriano. Alexandre, o Grande, também era libriano. Alexandre em russo é Sasha. Então, pronto. Você é Sasha". O sobrenome Altai era emprestado do pai, que ele mal havia conhecido. E ele estava batizado: Sasha Altai.

Os dois tinham se conhecido por acaso semanas antes. Elke ia a São Paulo todo fim de semana gravar o *Show de Calouros* no SBT, e ficava no apartamento de sua família, na avenida Paulista. Rubens Curi, o melhor amigo de Elke, se hospedava por uns tempos no quarto de empregada dos Grünupp. Em 1994, Rubens recebeu por alguns dias o amigo Sasha, que foi a São Paulo visitar a Bienal de Arte. Elke e ele trocaram olhares, mas nada além disso.

"Uma graça seu namoradinho", ela comentou com Rubens dias depois de a visita ir embora. O amigo explicou que não, os dois não tinham nada. Sasha, inclusive, gostava de mulher. E tinha se impressionado com ela, por mais que não soubesse exatamente de onde a conhecia porque não via TV. Elke depositou o dinheiro da passagem de ônibus para o curitibano voltar a São Paulo. Dois dias depois, ele estava na sala de sua casa quando ela chegou da gravação no SBT, vestida de são Francisco de Assis.

"Ela já tinha passado na padoca e tomado algumas. Agarrou o Sasha, pegou ele no colo. Em menos de meia hora, estavam no quarto", conta Rubens. Foi nessa primeira noite que aconteceu o batismo, e Ailton virou Sasha.

Quando Elke pegava a ponte aérea para gravar o *Show de Calouros*, Sasha pegava um ônibus de sete horas da periferia de Curitiba até São Paulo. E eles se viam. Foram meses assim, sem dar nome ao que tinham. "A gente foi ficando, ficando. Não foi nada formal. Hoje em dia as pessoas, quando descobrem que estão namorando, entram em pânico. Eu não entrei porque sou de outra geração."

Elke e Sasha ficaram juntos na saúde e na doença, na riqueza e na pobreza por treze anos. "Eu nunca ri tanto com uma pessoa. A gente criou nossa loucura juntos, o Sasha foi uma das poucas pessoas que não teve o tesãozinho de comer a loura, a personagem da TV. A gente se amava de corpo inteiro", disse Elke, que considerava o namoro "um encontro de almas". Ou, como diria Sasha: "Juntou a fome com a vontade de comer. A gente era dois filhos da putinha inconsequentes".

Em festas, ela pegava nas partes do novo namorado e falava: "É meu, é tudo meu". Mais uma vez, o que Elke chamava de casamento era uma união informal e sem papéis oficiais. Elke pediu Sasha em casamento durante um jantar. Colocou o copo de cachaça na mesa e disse, numa voz casual: "Vamos pro Rio comigo?". Ele só respondeu "vamos", e na semana seguinte os dois se mudaram para o apartamento de dois quartos no Leme.

Nos primeiros anos do relacionamento, os dois eram parceiros de pungência artística. "Com a Elke, eu me senti acolhido pra ser a personalidade que eu era", diz Sasha, que começou a fazer anéis e colares. Esculpia com as mãos sóis, luas e figuras mitológicas, que depois transformava em acessórios de prata e de ouro. Alguns dos acessórios eram do tamanho de uma maçã e viraram os prediletos da namorada.

Enquanto isso, Elke voltava a ganhar projeção na TV depois de ter tomado um dos maiores tombos profissionais de sua vida. A partir de 1994, Silvio saiu do *Show de Calouros*. Deixou os jurados apresentando o programa num sistema de rodízio. Elke já estava sem seu programa e foi a jurada que mais apresentou a competição de talentos das tardes de sábado.

O salário de Elke era o equivalente a 44 mil reais em 2019. Ganhava bem, mas guardava mal. "O que era dinheiro dela, a gente gastava." Elke ajudava a família e não fazia ideia de quanto custava manter uma casa, quanto mais as duas que sustentava, uma em São Paulo e outra no Rio. "Ela era perdulária", diz Sasha.

Boa parte do dinheiro era gasto com festas. Nesse período, Elke fez experimentos sociais. Uma noite, convidou doze pessoas para beber em sua casa. Uma de cada signo do zodíaco. Em outras, chamava levas de arianos, ou de librianos, ou um grupo só de taurinos. "Essas festas de signo eram a coisa mais divertida. A Elke deixava as pessoas interagirem e ficava quietinha no canto dela, bebendo, olhando e gargalhando", conta a advogada Michele Sá, que foi a convidada para uma das noites de Virgem.

Elke não fez uma festa de casamento para esse namoro. Sasha diz que nunca passou pela mente dos dois assinar papéis. "Casamento é abrir uma firma. As firmas têm seus códigos, seus projetos, suas tradições. Pra mim e pra Elke isso não servia, porque, entre outras coisas, a gente tinha 27 anos de diferença. A gente ficou junto porque queria ficar junto. Porque fazia sentido."

A bonança durou quase três anos. Em 21 de dezembro de 1996, o *Show de Calouros* do SBT foi ao ar pela última vez. Assim como havia acontecido com o talk show *Elke*, Silvio Santos decidiu tirar o programa do ar, sem aviso prévio. Semanas depois, acabava o contrato da apresentadora com o SBT. Elke estava desempregada aos 51 anos.

Sair da televisão, para um artista popular, significava mais que perder o salário. Pouco a pouco, propagandas e convites para shows começaram a rarear. "Se você não está na televisão o tempo todo, toda semana, dando um alozinho, o mercado te esquece. O público não, mas o mercado esquece", disse Elke.

Sasha e Elke decidiram empreender com as poucas economias que restavam. Abriram uma empresa de joias e bijuteria, numa sociedade com o ourives dela. Tinham dificuldade de dar preço às peças. Tomavam calotes. Emprestavam peças que sumiam. "Acabei descobrindo que a Elke não tinha o menor tino comercial. E eu era um moleque", diz Sasha. Em menos de um ano, eles tinham falido. Sasha ficou com o nome sujo por mais de uma década. "Isso deu uma fodida boa na minha vida."

Sasha acredita que a empreitada comercial tenha vindo para compensar outras etapas do casamento que não puderam acontecer por causa da diferença de idade. "Quando as pessoas se casam existe uma punção orgânica de construir alguma coisa juntos. Às vezes é um filho. Às vezes é uma casa. A tentativa da empresa foi isso."

O único filho que o casal teve foi um gato preto que atendia por Kalunga. O nome vinha de Zé da Kalunga, uma entidade da quimbanda que, segundo ela, protegia o felino. É que antes de Kalunga, Elke havia tido outros dois gatos, Electra e Schwarzenegger. Ambos morreram em menos de um ano. Elke foi a um terreiro de quimbanda e perguntou o que havia de errado com sua casa. Ouviu que ela precisava prestar homenagem à entidade, e assim seu gato sobreviveria. Kalunga viveu mais de uma década.

O telefone de Elke ainda tocava com frequência. Mas as propostas eram outras. "Ela começou a ser chamada pra universidades, pra dar palestras. Mas eram trabalhos sem cachê", conta Sasha.

Em 2002, um grupo de alunas da Faculdade Cásper Líbero, em São Paulo, fez um documentário chamado *Elke no País das Maravilhas* como trabalho de conclusão de curso. Elke as recebeu inúmeras vezes, mas enrolava para marcar uma entrevista filmada. No dia de uma das conversas, o pai de uma das alunas foi buscá-la no bar onde ela estava conversando com Elke e terminou sentado no colo da artista. As alunas conseguiram filmar a entrevista no apartamento do Leme faltando menos de dois meses para a entrega do trabalho.

Em 2007, passei por uma experiência parecida. Planejava biografar Elke para um livro-reportagem. Ela atendeu ao telefone quando liguei para o número de telefone fixo de sua casa, perguntou de que signo eu era ("Áries! O mundo também é de Áries, porque foi o primeiro a ser criado!") e marcou um encontro. "Uma conversa primeiro." Foram dez encontros, todos com mais de uma hora, em bares no Centro de São Paulo e na região da avenida Paulista, de onde saiu parte das entrevistas deste livro. Por mais que fosse solícita, Elke se esquivava de perguntas. Permitia que o gravador fosse ligado, mas preferia bater papo sobre os assuntos que a afligiam no momento: da gastrite que a impedia de comer frituras ao aquecimento global.

Isso porque Elke Maravilha era avessa à ideia de ser biografada. "Porque não gosto daquela biografia assim, ah, naquele dia eu caguei, eu peidei, eu trepei, não. Gosto assim, como a gente está falando. Atemporal. De repente, lembro de uma coisa, de repente eu tô aqui. Essas biografias normalmente são um saco, chatas demais. Eu, pra escrever, sou péssima." Elke também não gostava de ler livros. Dizia preferir ler pessoas.

Como as entrevistas e palestras eram de graça, a única fonte de renda de Elke nesse período foram os shows que fazia em casas noturnas de cidades cada vez menores e mais distantes. Sasha viajava com ela pelo Brasil nos fins de semana. Cada apresentação rendia de 2 mil a 3 mil reais, uma fração do preço de dez anos antes. "A gente foi pro Maranhão, pro Piauí, pra todo canto desse país." Mesmo a marca de maquiagem tinha sofrido um golpe de vendas com a saída de Elke da TV. Nos últimos anos, ela recebia 4 mil por mês, se muito, pelo uso de seu nome em cosméticos.

Depois de dois anos sem contrato, as dívidas se acumularam tanto que Elke teve de vender seu apartamento. "Quando as questões chegavam a um determinado ponto, que não dava mais pra lidar, ela chamava um advogado", conta o amigo Rubens. Aos 53 anos, Elke não tinha mais casa própria. O casal se mudou para um quarto e sala no mesmo bairro, no Leme. No começo da década de 2000, a família de Elke também perdeu o apartamento da avenida Paulista, que teve de ser vendido para pagar condomínios e impostos atrasados.

Além de a renda ter caído bruscamente, vieram gastos inesperados. Por volta de 1996, Elke começou a mancar. Fez exames e descobriu que tinha um desgaste da cartilagem do fêmur. "Aquilo foi piorando cada vez mais, foi preciso botar uma prótese da cabeça do fêmur." O casal não tinha dinheiro em caixa para pagar a operação, e Elke estava sem plano de saúde. "A gente estava muito fodido de grana. Graças a Deus apareceu um trabalho grande pra mim, e eu consegui pagar os aluguéis atrasados, o anestesista pra operação dela, essas coisas. Rolou."

O amigo Rubens conseguiu organizar uma retrospectiva de fotos da carreira dela. Em 1997, na Caixa Cultural, no Centro de São Paulo. Há uma foto de Elke com uma taça de champanhe na mão, a bota apoiada na boleia de um caminhão de lixo na saída da festa, conversando com o motorista. Ela ganhou um cachê para se apresentar na abertura da mostra de sua vida. Mas foi um dos poucos trabalhos grandes que ela teve no período de vacas magras. No ano seguinte, 1998, ela interpretou a si mesma numa ponta na novela *Pecado capital*, da Globo. Elke ficou seis anos sem aparecer na televisão. "É como se minha carreira tivesse dormido", ela disse.

Nesse mesmo período, Elke enfrentou duas grandes tristezas: em 1997, perdeu sua mãe, Liezelotte. E começou a ser acusada de LGBTQfobia. A questão era mais de terminologia do que de intenção. Ela, que por trinta anos fazia de graça eventos em prol da luta contra a hanseníase, nunca conseguiu abolir o uso da palavra "leprosos" para os afetados pela doença. Seu vocabulário e sua lógica tampouco se alinhavam com os avanços da luta pelos direitos LGBTQ.

A artista tinha um discurso de defesa da diversidade que soava machista para uma nova geração de ativistas. Ela, por exemplo, declarou ao jornal *Extra*: "Até na hora de virar mulher o homem é melhor do que a gente. Bota mais cabelo, maquiagem…". Houve milhares de comentários na internet sobre o machismo da afirmação. "A Elke ficou muito triste com a comunidade nos últimos anos", diz Leão Lobo. "Ela sentia que tinham virado as costas pra ela, começaram a chamar de velha."

Um fenômeno parecido aconteceu com uma vizinha de Elke no Leme: a performer Rogéria. Os ativistas da nova geração criticavam Rogéria por discutir seus órgãos genitais em público, alimentando um fetiche preconceituoso pelo corpo de pessoas que não se encaixam no padrão.

Elke evitava falar sobre as dificuldades que pudesse ter enfrentado por ser mulher. Ela nunca falou de assédio. Mas a irmã Francisca conta que presenciou um fato de que nunca se esqueceu, numa gravação do Chacrinha. "A Elke estava sentada e ao lado dela estava Waldick Soriano." De repente, a jurada levanta e sai de perto do cantor. Terminada a gravação, Francisca pergunta a ela o que aconteceu. "É que ele estava com a mão na minha perna", Elke responde. E seguiu com a vida.

Também era orgulhosa demais para pedir emprego ou ajuda. "Eu a conheci por trinta anos, e nunca a vi pegar o telefone pra pedir emprego ou dinheiro", diz Rubens. Leão Lobo conta que pedia a apresentadores e diretores de TV que convidassem Elke para participar de seus programas. "Assim, pelo menos eles pagavam a ponte aérea e ela vinha pra São Paulo, passava um tempo comigo."

Outros artistas do mesmo calibre sobreviveram a períodos de míngua graças à bondade de estranhos ricos que os admiravam. A comediante Dercy Gonçalves, por exemplo, não tinha pudor de ligar para empresários que a admiravam e pedir apoio. Ela contou no programa *Jô Soares Onze e Meia*, em 1997, como descobriu o telefone de Antônio Ermírio de Morais, fundador do Grupo Votorantim, e ligou para ele.

"Eu queria falar com o Antônio Ermírio."

"Pois não", o empresário atendeu o telefone.

"Muito obrigada o senhor me receber."
"O que você quer falar comigo?"
"Te dar uma facada!"
"Uma facada?"
"É, mas no seu bolso."

O empresário riu e a chamou para tomar um café. Antônio Ermírio de Morais comprou trezentos ingressos para o show de Dercy. "Menino, eu quase beijei o cacete do homem", contou a humorista de noventa anos a Jô Soares em seu programa do SBT.

As únicas vezes que Elke pediu ajuda foi para os amigos mais próximos. Uma ou duas vezes, Elke ligou para Rubens e sussurrou, no meio de uma conversa de horas: "Não tem comida em casa". Os amigos emprestavam dinheiro quando ela já não podia mais pegar emprestado no banco, porque as dívidas já tinham se acumulado.

Em 2004, Elke participou de três produções do horário nobre da Globo. Entrou na casa do *Big Brother Brasil 4*, ao lado de Angélica, Nando Reis e Eri Johnson. Os artistas cantaram e dançaram com os confinados. Elke deu um selinho na boca do lutador Marcelo Dourado, que mais tarde se tornou o campeão da décima edição. Ainda em 2004, ela foi ela mesma num desfile de moda da novela *Celebridade*. E também jurada de um concurso de maquiagem em *Da cor do pecado*.

No meio do mesmo ano, Elke ficou sabendo que viraria personagem de cinema. A vida de Zuzu Angel, sua amiga estilista, seria transformada num filme, e ela estaria em cenas como a de sua prisão.

A atriz Luana Piovani foi convidada para interpretar Elke. E aceitou de imediato. "Assisti ao Chacrinha toda a minha infância. Sabia o quão inteligente ela era. Era gringa, internacional. Bela, extravagante e faz parte da cultura."

Duas semanas depois do convite, foi até a casa de Elke no Leme. Levava uma garrafa de champanhe Veuve Clicquot gelada, que Elke agradeceu e esqueceu na geladeira. "Vamos beber uma cachacinha?", propôs.

As duas se sentaram e conversaram por mais de seis horas. "Ela foi me mostrando as roupas, os anéis. Me falou da relação do cabelo. Ela era loira, galega, gringuérrima, com três fios de cabelo em que presilha nenhuma parava." Elke contou a Luana segredos de sua beleza, como o seguinte: por muito tempo usou anilina junto com o esmalte para pintar as unhas.

Depois do encontro, as duas foram juntas para Juiz de Fora. Enquanto Luana interpretava Elke, Elke interpretava uma cantora que cantava uma música num show visto por Zuzu. Em cena, ela cantava "In den Kasernen" (nos quartéis, em alemão), que fazia parte do repertório do show *Elke do sagrado ao profano*.

Anos depois, as duas se reencontraram para uma conversa também longa, porém de assuntos mais sérios. Luana, na época, estava namorando o ator Dado Dolabella, e ele acabara de agredi-la, e também à camareira Ismê de Souza. Elke ouviu a história e contou do namorado que a ameaçara de morte com uma faca. E as duas mulheres se apoiaram. "A gente dividiu muita coisa. Ela sabia muito da vida", diz Piovani.

As participações de Elke nessas produções, contudo, não duram nem dez minutos. É menos tempo de exposição do que ela teria num fim de semana do Chacrinha. E menos dinheiro do que teria ganhado com um único show. Mas não foi a falta de dinheiro que matou o amor de Elke e Sasha. A relação morreu de causas naturais em 2007. Elke comentou em mais de dez entrevistas que ela decidiu libertar Sasha aos 62 anos de idade, quando a menopausa chegou e apagou sua libido. "Não tenho mais tesão de periquita. É libertador", ela dizia. Elke brincava que, alguns dias, ela se via em casa descendo a barra da calça de um marido que ainda estava crescendo.

Sasha e Elke moraram no mesmo apartamento por alguns meses depois de terem se separado. Ou, como ela dizia, depois de "terem virado parentes". "Se ele tivesse minha idade, a gente podia continuar esquentando um o pé do outro. Mas ele tinha mais o que viver", ela disse. No fim de 2007, Sasha seguiu sua vida. Passados doze anos, a profecia de Elke em certa medida se cumpriu. Em 2019, Sasha estava casado com uma cientista da universidade da Eslovênia e havia se mudado para a Europa.

De 2007 a 2016

"Alguns já puderam conferir a proposta mix da nova casa noturna de Bauru, a danceteria Labirinthus Lounge Mix, na pré-inauguração, realizada no último sábado. Mas será a transgressora Elke Maravilha que batizará a abertura oficial do espaço nesta noite. [...] A noite também terá o agito do DJ Flávio e de músicos paulistanos à frente de muito tribal house."

A reportagem sobre o show de Elke na abertura de uma casa noturna na cidade do interior de São Paulo em 2007 resumia sua vida profissional na década de 2000. Os convites para apresentações rareavam, e ela fazia shows em lugares cada vez menores, por um cachê que oscilava de mil a 4 mil reais: Elke dançava, contava piadas e fazia graça com o público.

No começo da década de 2000, Leão Lobo começou a bolar com Elke um espetáculo mais elaborado do que as apresentações de boate, que duravam meia hora. Um show de uma hora e meia em que ela contasse histórias de sua vida costuradas por um repertório de músicas que tivessem um significado afetivo. Não conseguiram patrocínio e o projeto ficou suspenso. Dois anos mais tarde, com Rubens Curi à frente do projeto, surgiu a oportunidade de estrear o espetáculo.

Uma casa noturna chamada Café Teatro La Belle Paris, na Vila Mariana, ia estrear e estava sem show de abertura. O espetáculo que a casa tinha preparado para sua inauguração foi cancelado dias antes de acontecer, e convidaram Elke para ficar com as honras. Tiveram duas semanas para ensaiar. E o show estreou na data. Ficou duas semanas em cartaz no La Belle Paris e mais doze anos em turnê, ainda que com uma frequência errática.

Elke do sagrado ao profano era uma viagem afetiva por quase setenta anos de vida, acompanhada por um baixo, uma guitarra e uma bateria. Ia de Villa-Lobos a "Insônia Night Club", música composta pelo ex-marido Sasha, passando por Titãs e "Dentro de mim mora um anjo", de Sueli Costa. As canções russas, mineiras e alemãs eram salpicadas com piadas como: "Quando eu vim pra terra, acho que a cegonha tava meio bêbada, porque me deixou lá na Rússia".

O show era vendido por 10 mil reais, e foi apresentado em São Paulo, no Rio, em Brasília, no Recife e em dezenas de outras cidades na década em que ficou em cartaz.

Muitas das contratações de Elke eram feitas por órgãos governamentais, como secretarias da cultura, e abertas para o público de graça. Ela cantou no Centro Cultural da Juventude Ruth Cardoso. Na Galeria Olido. E em Viradas Culturais, evento promovido pela prefeitura de São Paulo.

"Tinha meses em que fazíamos uma apresentação. Tinha meses em que fazíamos quatro. Tinha meses em que não fazíamos nenhuma", diz Maurílio Domiciano, que era vizinho de Rubens quando o show estreou e trabalhou como iluminador de graça. Depois, ele virou produtor de Elke. Maurílio carregava as duas malas de 25 quilos, cada uma com um figurino, quando eles viajavam.

Por causa do sucesso, a trupe formada por Elke, Rubens e Maurílio se juntou ao produtor mineiro Ton Garcia e criou um segundo show. *Elke canta e conta* era um misto de conversa e apresentação musical, assim como *Elke do sagrado ao profano*.

Em paralelo, Elke fazia as presenças pagas para as quais era convidada e apresentava eventos. "Sempre me botavam depois da Elke, porque achavam que eu ia fazer striptease. E eu não fazia, né?", diz Rita Cadillac, que se apresentou com Elke pela última vez em setembro de 2015, na boate Bubu Lounge, em São Paulo.

Elke precisava do dinheiro. Sem contrato com nenhum canal desde o meio da década de 1990, a não ser por uma novela que fez na Record em 2007, ela não tinha uma renda fixa. Mesmo o repasse de 4 mil reais mensais dos cosméticos que levavam seu nome não caía mais todos os meses. A empresa afirmava que os produtos não vendiam bem. Elke chegou à terceira idade com dívidas e sem fonte de renda. Mas não se arrependia de suas escolhas de vida, como ter saído do SBT. "Eu já tive oportunidade de ficar rica três vezes, mas olhei e disse 'Não vou entrar nessa brincadeirinha'. Pra quê? A gente come dois bifes de uma vez?"

Depois que Sasha se foi, Elke morava no quarto e sala do Rio com o irmão mais novo, Fred, que também passou parte de sua vida explorando ouro em Serra Pelada, e a empregada, Evinha. A casa estava num estado de conservação precário. "Vi bigatos e baratas lá dentro. Das vezes que eu fiquei hospedado lá, eu tomava cuidado. Tentava limpar", diz Rubens.

Elke tentava se modernizar. Fez um site, por mais que evitasse computadores. "Não sei usar a maquininha", ela explicava, enquanto digitava num teclado imaginário em cima da mesa, entre o copo de cerveja e a dose de cachaça. Foi só no meio da década de 2010 que ela criou uma conta de e-mail. O endereço era elkemaravilha22@gmail.com, porque elkemaravilha@gmail.com já estava sendo usado por outra pessoa.

Em 20 de dezembro de 2012, o espetáculo que Elke faria no Teatro Oficina, em São Paulo, foi cancelado. Num palco em

Recife, ela pediu desculpas ao público três vezes. Desceu do palco e foi direto para o apartamento de uma amiga, chamada Maria do Céu, sem receber o público, como sempre fazia. "Ali ela já mostrava que estava tendo dificuldades, dores. Mas ela escondia", diz Maurílio. "Ninguém ao redor dela sabia como ela estava se sentindo."

2016

Quando chegou de táxi à casa de Breno Beauty, no centro de São João del-Rei, Elke ouviu dele a mesma pergunta com que a recepcionava a cada visita: "Com ou sem dieta?". "Sem", ela respondeu. Era o código para saber se a empregada podia fazer chouriço, rabada e um macarrão que misturava molho vermelho e de queijo durante a semana que Elke ia passar hospedada ali. Em toda visita ele fazia a mesma pergunta, por causa dos problemas de saúde dela, e a resposta era sempre a mesma: "Sem dieta".

Elke foi à cidade histórica mineira em fevereiro de 2016 para comemorar seu aniversário de 71 anos com o amigo. Breno convidou uma dúzia de pessoas da cidade para o jantar, que terminou com Elke, com uma lata de Skol numa mão e um copinho de cachaça no outro, cantando:

Soy libre, soy bueno
Y puedo querer.
Me han dicho que tiene dueño,
Y así, con dueño, los quiero.
Soy libre! Soy bueno!

Por uma semana, Elke comeu e bebeu como se não estivesse sofrendo a ponto de não conseguir ficar em pé em alguns momentos. O estômago doía sem parar, ela entrava na quarta úlcera e tinha problemas em controlar o intestino. Havia vezes que não dava conta de chegar ao banheiro. Mas na festa de 71 anos Elke estava vivaz e animada.

No último ano, ela tinha voltado ao horário nobre dos domingos da Globo, 43 anos depois do fim do *Buzina do Chacrinha*. Junto com a atriz e humorista Berta Loran, então com 89 anos, e com a porta-bandeira Vilma Nascimento, de 77 anos, ela apresentava o quadro "O grande plano". No segmento, as três veteranas aconselhavam jovens anônimos com problemas de autoestima, de aceitação do corpo ou questões profissionais. "Eu fiquei muito intimidado com a Elke Maravilha, ela fala muito, não me deixa respirar", disse um dos participantes, que procurou a ajuda do trio de anciãs porque era tímido demais.

Semanas depois do aniversário de 71 anos, Elke pousou em São Paulo para o primeiro trabalho em meses. Ela havia sido contratada para estrelar uma campanha de maquiagem. Foi fotografada e filmada ao lado da nova geração da luta por igualdade de gênero. Posaram com Elke outras artistas como Liniker, Tássia Reis e As Bahias e a Cozinha Mineira, e ativistas do movimento LGBTQ como Gustavo Bonfiglioli. "Ela estava ótima, fervendo com todo mundo", diz Bonfiglioli. Mais que um cachê que pagaria contas atrasadas, a campanha significava algo maior para Elke. "Foi quando ela fez as pazes com o ativismo", diz Leão Lobo.

Mas a festa de aniversário e a gravação do comercial foram duas exceções. Elke já saía pouco de casa. Passava a maior parte do tempo na cama. "O sono é o irmão da morte. A gente dorme todo dia pra quê? Pra se preparar para a morte", dizia.

Os amigos contam que ela assistia a canais de notícias e, quando ouvia sobre algum escândalo de corrupção, gritava com a TV: "Filho da puta, o que estão fazendo com meu país, seus desgraçados?!". Evinha e o irmão Fred eram as companhias mais frequentes. O gato Kalunga havia morrido e ela não adotou um novo animal. Elke, que sempre foi de festa, recebia amigos uma vez por mês, se muito.

Três semanas depois de terminar de filmar o comercial, ela foi internada na Casa de Saúde Pinheiro Machado, em Laranjeiras, no Rio de Janeiro. A dor de estômago que a fazia chorar era uma úlcera no duodeno, a primeira parte do intestino, que precisava ser operada com urgência. Elke passou pela cirurgia e depois ficou em coma induzido.

Ela acordou e esboçou uma melhora depois de uma semana. "Eu já sabia que o fim estava chegando", diz Rubens. Eles se falavam diariamente pelo telefone nas cinco semanas que Elke estava no hospital. Até que um dia ela disse: "Não precisa me ligar mais, eu te ligo". Ele sentiu que havia algo de errado, e voou para o Rio. Encontrou a amiga enfurnada na cama hospitalar, ligada a drenos. Elke abriu os olhos. Rubens perguntou: "Tá viajando muito? Muita viagem?". Ela olhou para ele e balançou a cabeça que sim.

A úlcera de Elke causou um rompimento interno de seus órgãos. O conteúdo do trato digestivo se espalhou pelo corpo. Na madrugada de 16 de agosto de 2016, Elke Maravilha morreu aos 71 anos de idade. Por telefone, um amigo avisou ao outro: "Ela foi brincar de outra coisa". Era essa a expressão que ela usava para a morte, "ir brincar de outra coisa".

A prefeitura do Rio de Janeiro cedeu o Teatro Carlos Gomes, no Centro, para o velório. Elke foi preparada com o figurino de seu último show. Foi preciso serrar o ornamento de cabeça para que ele coubesse no caixão. Uma maquiadora do *Fantástico*, o último emprego fixo que ela teve na televisão, foi até o velório para preparar o rosto de Elke no caixão. Não cobrou nada por isso.

O enterro de Elke Grünupp foi acompanhado por cerca de cem pessoas. Havia familiares e amigos. Mas havia mais fãs. Uma mulher vestida de Carmen Miranda. O imitador oficial de Raul Seixas no Rio de Janeiro. Um homem que ganha a vida vestido de Carlitos na Lapa. Amigos como Rubens, Sérgio Meneguelli e Breno Beauty carregaram o caixão. Elke foi enterrada no cemitério São João Batista, num jazigo cedido pelo poder público.

O *Jornal Nacional* dedicou dois minutos ao obituário da artista. A *Folha de S.Paulo* dedicou a capa do suplemento de cultura à sua morte.

Na sala de sua casa em São João del-Rei, numa tarde de janeiro de 2019, Breno Beauty, de 73 anos, parece uma criança quando põe as mãos sobre o rosto e começa a soluçar entre elas, sentado no sofá. "Minha vida está muito difícil desde que ela se foi."

Em cima do sofá, há uma escultura na parede. Um Espírito Santo, uma ave branca entalhada em madeira. A pomba carrega no bico um presente deixado por Elke: um colar feito por ela com um ovo Fabergé. Nós pés de Breno está um cão maltês branco. O cachorro se chama Elke, e é o terceiro bicho de estimação que o amigo tem com o nome dela.

2017

Elke foi brincar de outra coisa e deixou para trás um acervo com figurinos e fotos dos seus cinquenta anos de carreira artística. O apartamento do Leme em que ela morou nas últimas décadas de vida era um museu de si mesma. Havia peças que datavam desde os anos 1960. Quando Elke morreu, as roupas e os acessórios que ela criou com as próprias mãos e lotavam seu apartamento de 45 metros quadrados encheram quarenta caixas.

São centenas de vestidos e perucas que ela inventou. Dezenas de botas que sobreviveram a quatro décadas. Acessórios que ela criou, muitos nunca usados. E Elke deixou também uma dívida.

Os 80 mil reais que ganhou do comercial da Avon, seu último trabalho, foram suficientes para pagar a rescisão da empregada Evinha (que não cobrou todos os seus direitos) e bancar a limpeza e a devolução do apartamento do Leme. Mais de vinte sacos de lixo foram retirados do imóvel. Mas não havia dinheiro para conservar seu acervo.

Para levantar fundos, o irmão Fred e os amigos mais próximos promoveram um bazar de peças da artista em São Paulo e outro no Rio. Um vestido de veludo preto saía por 1,4 mil reais. Uma bolsa feita de jornal custava quatrocentos. Uma peça feita à mão pela própria Elke, que podia ser usada como cinto ou colar, custava quinhentos reais. As vendas não foram suficientes para custear a abertura de um museu da vida de Elke.

O produtor Ton Garcia, que trabalhou nos shows que Elke fez nos últimos anos de vida, terminou em 2019 um CD com músicas cantadas ao vivo. Procura uma gravadora que lance o primeiro álbum de Elke, postumamente.

Francisca Grünupp, a irmã caçula que passou trinta anos na França, voltou ao Brasil para cuidar do legado de Elke. O segundo quarto de sua casa, em São José dos Campos, sedia a maior parte do acervo de roupas e de acessórios da artista.

As peças estão penduradas em araras que ocupam o cômodo todo. As botas e ornamentos de cabeça estão guardados em caixas no chão. Francisca agencia os negócios ligados à irmã. Foi procurada sobre um filme e um fotolivro. "Nada vai sair sem passar por mim", disse numa tarde de janeiro de 2019.

Francisca afirma que exige ver qualquer coisa que saia em nome da irmã porque *Melissa*, o livro que o primeiro marido de Elke escreveu em 1972, afirmava que seu pai era antissemita.

Francisca também entrou na justiça para pedir o nome Elke para água de cheiro, água de lavanda, algodão para uso cosmético, antitranspirantes, óleos essenciais, bases para perfumes, brilho para os lábios, cremes, cera para depilação e outros trinta produtos de beleza. Os cosméticos Elke, que foram produzidos por quase trinta anos, deixaram de existir em 2017, e a fábrica não se pronunciou sobre as razões.

Três anos depois de sua morte, os restos mortais de Elke foram retirados do cemitério São João Batista. Foram transportados para Colatina no fim de 2019, diz o amigo de Elke e prefeito da cidade, Sérgio Meneguelli. "Não fiz isso como prefeito, não usei um centavo da prefeitura. Era meu mesmo." Meneguelli ainda planeja construir um mausoléu com objetos que Elke mantinha em sua sala-museu.

2018 e 2019

Não é só em processos que o nome de Elke é mencionado. Em 26 de julho de 2018, quase dois anos após sua morte, Elke Maravilha estava de volta à passarela. Se não como um corpo, como uma ideia que encheu de palmas o Museu de Arte Contemporânea de São Paulo.

Foi no corredor principal do museu que aconteceu o primeiro desfile da marca Ken-gá Bitchwear, que faz maiôs, bodies e biquínis para vestir de mulheres da periferia paulistana a artistas como Anitta e Pabllo Vittar.

As estilistas Lívia Barros e Janaina Azevedo, que são sócias na marca, bolaram a coleção depois de ver uma entrevista de Elke para o *Programa Amaury Jr.*, em 2007. Na conversa, ela contava a história de como o Natal era uma festa pagã que foi apropriada pelo cristianismo.

O vídeo com a contação de causo de Elke dura seis minutos e narra como várias aldeias vikings faziam uma festa no dia de Natal para celebrar a vida. Dia 24 de dezembro era o auge do medo, o dia do ano em que a Terra recebia menos luz solar. "As trevas começam a vencer a luz. [...] A sabedoria começa a perder da ignorância. A verdade começa a perder da mentira, e a vida começa a perder da morte." Para ter certeza de que sobreviveriam ao inverno, as tribos elegiam um jovem que era mandado para lutar contra um urso polar. Se o homem vencesse e voltasse banhado no sangue do animal e vestindo a pele do urso, a vida venceria.

Foi essa lenda que inspirou as roupas apresentadas na passarela. Botas de leopardo que iam até o meio da coxa. Uma saia de tule que lembrava um tutu de balé, mas que tinha uma incisão no formato de vagina, pintada de rosa e laranja, na frente. Um sobretudo de plástico transparente que deixava ver o corpo andrógino que o vestia.

No fim do desfile, a rainha de bateria da Império da Casa Verde, Valeska Reis, entrou na passarela com um casaco de pele sintética branca. No meio do público, se despiu do casaco. Ela estava nua. Nua, a não ser pelas botas e pela tinta vermelha que cobria sua pele negra.

O look de Valeska era a reinterpretação do desafio do jovem viking. "Em vez de um homem, foi uma mulher que lutou com o urso. Uma mulher que tinha força e não estava nem aí, que nem a Elke", diz Lívia.

Dezenas de outras modelos percorreram a passarela. O desfile chegou ao fim. Valeska voltou. Estava nua, coberta pela pintura vermelha e por um novo acessório: o colar da vida de Elke Maravilha. A trilha sonora do desfile terminava enquanto a modelo ainda estava no meio do público.

O silêncio da plateia só era arranhado pelo som dos badulaques que Elke colecionou durante toda a sua vida, e que se moviam com o desfilar. "Parecia uma voz, foi o momento que mais me tocou. Foi quando eu chorei", diz a estilista Janaina.

Elke também está no cinema. "Foi o trabalho mais incrível que eu já fiz até hoje", diz a atriz e modelo Gianne Albertoni, que interpretou Elke no filme *Chacrinha: O velho guerreiro*, lançado em 2018.

Gianne se emocionou ao ser convidada para o papel. "Ela foi modelo, como eu, depois virou uma coisa tão grande. Um ícone." Uma das primeiras cenas do filme era a morte do Chacrinha. E seria rodada no cemitério São João Batista, onde tanto o apresentador quanto Elke estavam enterrados.

Enquanto esperava a cena ser rodada, Gianne se aproximou de um coveiro. Ele notou que ela estava caracterizada como a jurada e disse: "Você sabe que ela está aqui, né?". Gianne não sabia. Foi, de figurino, até o túmulo de Elke e pediu sua bênção. "Estou levando muito dela. Todo personagem ensina alguma coisa. Ela só trouxe coisa boa. Espero que ela tenha gostado, onde quer que esteja."

Há Elkes fora da passarela e da tela, pulando pela rua. O Carnaval de 2019 foi o terceiro em que um grupo de amigos se juntou para sair num bloco de Elkes.

"A história da Elke é muito da gente, é nossa infância. Um visual transgressor que tem muito a ver com a gente", diz o arquiteto Danilo Poveza, de camisa social e unhas pintadas de preto.

A cada ano, ele e o grupo de amigos criam novas fantasias de Elke. Compram tecidos e acessórios e se reúnem semanas antes do Carnaval para criar o figurino. O desafio em 2017, o primeiro depois da morte de Elke, foi imitar seu cabelo. Para alcançar um penteado loiro armado como o dela, compraram na rua 25 de Março perucas sintéticas lisas por trinta reais, fizeram dez tranças e enfiaram na água fervendo por alguns minutos. "O kanekalon fica daquele jeitinho que era o cabelo dela, frisê", diz Danilo.

O bloco sairá mais vezes. "Tem uma coisa afetiva e afetuosa ao redor da imagem dela; por mim, todo ano a gente vai fazer um dia de Carnaval de Elke", diz Leonel Fernandes, que é marido de Danilo e também está no bloco.

Junto com eles vão Oswaldo, Fernando, Rodrigo, Enzo, Danilo, Vaqueiro, Pedro. Durante um dia do Carnaval, todos esses foliões se despem de seus nomes e atendem por Elke.

No Carnaval de 2018, as Elkes estavam de chifres, porque o tema do bloco Tarado Ni Você, em que se reuniram, era "Vaca profana". De cima do trio elétrico, o cantor do bloco, que desfila com músicas de Caetano Veloso e reúne até 100 mil pessoas, vê o grupo. E no meio do Carnaval de São Paulo, grita: "Um beijo pras Elkes e pra Elke, que está lá em cima!".

Numa das últimas conversas que tivemos, em 2007, perguntei o que Elke gostaria de deixar de legado quando fosse brincar de outra coisa. Ela botou o dedo indicador na frente dos lábios, franziu o cenho e o explodiu numa gargalhada de oito segundos. Daí respirou fundo e disse: "É isso que eu queria deixar nesse mundo".

Epílogo

Era raro que Elke se recusasse a parar para falar com fãs. Mas, numa tarde de 1974 em que estava atrasada para um desfile em Copacabana, ela passou correndo quando um homem chamou seu nome. O desconhecido, um senhor magro de cabelos rareando e óculos de aro grosso, correu atrás dela e gritou seu nome mais uma vez: "Elke! Elke!".

Ela se virou pronta para pedir desculpas e explicar que estava atrasada. Deu de cara com Carlos Drummond de Andrade. O poeta, que também havia sido criado em Itabira do Mato Dentro, a cumprimentou com um abraço.

Ela narrava o encontro. "Ele falou: 'Pois é, você sabe que eu sou fechado, sou uma pessoa triste, taciturna. E quando estou bem triste, ligo a televisão, te vejo, fico alegre, fico até feliz'."

Elke diz que foi um dos únicos momentos de sua vida em que se sentiu constrangida.

Drummond, ela narra, então lhe fez uma pergunta: "Mas uma coisa eu não entendo: como é que você é desse jeito, e é de Itabira, de Minas Gerais? Você é muito diferente da gente!".

Ela perguntou se era porque era loira e alta. Ele falou: "Não é a imagem, é sua alma. Muito diferente. Nós, mineiros, somos fechados, somos taciturnos, ficamos em cima do muro. E você é o oposto disso".

A vergonha de Elke se dissolveu, e ela respondeu ao poeta: "Meu coração é mineiro, mas eu nasci em Leningrado".

Índice remissivo

Números de página em *itálico* referem-se a imagens

A

aborto, 12, 37, 42
Abrão, Sonia, 126
Abravanel, Silvia, 155
Academia Boêmia de Letras, 142-3
Academia Brasileira de Letras, 38
acervo de Elke e projeto de museu, 176-7
Acesita (siderúrgica), 21
Adeus, Grécia! (Evremidis), 34
Adriani, Jerry, 119
Agnaldo Timóteo, 118
aids/HIV, 94, 114, 153
Alasca, 139
Albertoni, Gianne, 179-80
alcoolismo de Elke, 7, 12, 109, 140-3
Alemanha, 13-5, 17, 35, 37, 57, 85
Alexandros (primeiro marido de Elke) *ver* Evremidis, Alexandros
Almanaque SBT 35 Anos (publicação de 2016), 154
Almeida, Aracy de, 126
Alvarenga, Rosemary Penido de, 22
Alves, Ailton Cesar *ver* Sasha Altai (último marido de Elke)
Amazônia, 122

Amiga (revista), 77
Amynthas, dr. *ver* Moraes, Amynthas Jacques de
Angel, Hildegard, 50-4
Angel, Stuart, 49, 51-3, 56
Angel, Zuzu, 46, 48-9, 51, 53-4, 165-6
Angélica (apresentadora), 65, 92-3, 154, 165
Anistia (1979), 59
Anitta, 178
aniversário de 71 anos de Elke (2016), 172-3
apátrida, Elke como, 12, 58-9
Aqui Agora (programa de TV), 156
Araújo, Walério, 100
Ariquemes (RO), 103-4
Arrabal, José, 70
arritmia cardíaca (na família Grünupp), 122, 143-4
Associação Brasileira de Críticos de Cinema, 106
Assunção, Fábio, 117
Atenas, 37, 140
Atibaia (SP), 25-7
atriz, Elke como, 12, 31-2, 50, 66-7, 76-8, 81-9, 105-6, 119-20
Automóvel Clube (Belo Horizonte), 29
Avon, 173, 176
Azevedo, Janaina, 178-9

B

Babenco, Héctor, 105
Bacantes, As (Eurípides), 150
Bacellar, Paulo, 73
Bahia, 83
Bahias e a Cozinha Mineira, As (trio musical), 173
Balão Mágico (conjunto musical infantil), 112
Bandeirantes, Rede, 91-3, 102, 116
Barão Otelo no barato dos bilhões, O (filme), 50
Barbosa, Abelardo *ver* Chacrinha
Barbosa, Jorge, 79
Barcelos, Ciro, 71-2, 75
Baronesa de Arary: Nobres, pobres, artistas, oportunistas (Resende), 148
Barros, Lívia, 178-9
Barros Filho, Adhemar de, 115
Barrozo, Zózimo, 45
Bauru (SP), 168
bazar póstumo de peças de Elke, 176
Beauvoir, Simone de, 96
Becker, Cacilda, 148
"Beijinho doce" (canção), 73
Belém (PA), 25
Belo Horizonte (MG), 28-31, 44, 137-8, 141
Bênção, meu pai!, A (Moraes e Alvarenga), 22
Beto (namorado de Elke) *ver* Lazzuri, Roberto
Beto Rockfeller (telenovela), 76
Biafra (cantor), 154
Big Brother Brasil (programa de TV), 165
Bloch Editores, 43
bloco de Elkes (carnaval paulistano), 180-1
"Bloco do prazer" (canção), 94
bolcheviques, 17
Bonfiglioli, Gustavo, 173
Boni (José Bonifácio de Oliveira Sobrinho), 64-5, 68-9, 103, 111, 117-8, 124
Borba Gato, Carlinhos, 118
Borges, Miguel, 50
Bossa Nova, 72
Bossa nova (filme), 31-2
Braga, Sônia, 71
Bragança Paulista (SP), 8, 15, 27
Brandão, Leci, 117
Brás, Venceslau, 26
Brasil, 8, 11-2, 18-9, 21-2, 24, 26, 30-4, 36-7, 42-4, 48-9, 53, 61, 63, 65-7, 69, 71-4, 76-7, 85, 88, 90, 92-3, 99, 105, 107, 111-2, 116, 126, 140, 143-4, 153-4, 162, 177
Brazil Herald (jornal), 22
Bréa, Sandra, 97
Breno Beauty, 97, 172, 175
Brizola, Leonel, 39
Brizola, Neusa, 39
Brumadinho (MG), 8, 138
Buarque, Chico, 66, 89
Bubu Lounge (boate paulistana), 170
Buzina do Chacrinha (programa de TV), 61, 65-6, 68, 70, 76, 111-2, 173

C

café apreciado por Elke, 143
Café Teatro La Belle Paris (São Paulo), 168-9
Caixa Cultural (São Paulo), 88, 163
Câmara dos Vereadores do Rio de Janeiro, 121

Camille (modelo), 44
Canadá, 18
cantora, Elke como, 12, 113, 166, 168-9, 177
Carandiru, Casa de Detenção do (São Paulo), 54
Carlinhos (funcionário do SBT), 125
Carlos Renato, 126
Carnaval, 83-4, 97, 113, 120, *134*, 180
Carnaval, amor & fantasia (disco de 1976), 113
Carreta (churrascaria carioca), 69-70
Carvalho, Beth, 112
Carybé, 82
Casa Vogue (São Paulo), 148
casamento gay celebrado no programa *Elke* (1993), 154-5
Cassino do Chacrinha (programa de TV), 70, 111-2, 114, 120, 124
Castro, Lúcio de, 60
causos contados por Elke, 7, 15, 72, 128, 178
Cavalcanti, Iberê, 82
Cazuza, 94
Celebridade (telenovela), 165
Cemitério São João Batista (Rio de Janeiro), 175, 177, 179
Centro Cultural da Juventude Ruth Cardoso (São Paulo), 169
certidão de nascimento de Elke, 15, *16*
chacretes, 79, 104, 114-5
Chacrinha (Abelardo Barbosa), 11, 51, 61-70, 78-81, 87, 91-5, 102-4, 107, 111-8, 120-1, 124-5, 143, 153, 164-6, 179
Chacrinha: O Velho Guerreiro (filme), 179
Chanel, Coco, 45
Chantecler (gravadora), 113
Cine Sol (São Paulo), 54, 125
cirúrgias plásticas de Elke, 143

Clodovil, 46-7, 62
cocaína, 106, 144, 146
Colatina (ES), 177
Colégio Estadual Central (Belo Horizonte), 30, 137
Colômbia, 31
comunismo, 15, 33
Confederação Brasileira de Automobilismo, 138
Conheça a maçonaria do Brasil (George Grünupp), 123
Conjunto Nacional (São Paulo), 149
Contigo (revista), 97
Contru (Departamento de Controle de Uso de Imóveis de São Paulo), 149
Cony, Carlos Heitor, 38
Copa do Mundo (1978), 90
Copa do Mundo (1990), 118
Copa do Mundo (2014), 85
Copacabana (Rio de Janeiro), 71, 138, 183
Copacabana Palace (Rio de Janeiro), 44
Copenhague, 140
Corrêa, Zé Celso Martinez, 150
Cortez, Raul, 77
Coruja de Ouro (prêmio), 84
"Cosa nostra" (canção), 79
Costa, Gal, 94-5
Costa, Haroldo, 64, 66
Costa, Sueli, 169
Costner, Kevin, 146
Couri, Eduardo, 28, 30
Coutinho, Rita de Cássia *ver* Rita Cadillac
"Cowboy fora da lei" (canção), 114
Cowell, Simon, 112
crack, 144
Criança Mais Bonita do Brasil, A (concurso de 1979), 92
Crime e castigo (Dostoiévski), 36

cristianismo, 178
Cuba, 33, 34
Cubango (chácara em MG), 22, 24
Curi, Rubens, 108-10, 142-3, 146-7, 157, 162-3, 165, 168-70, 174-5
Curitiba (PR), 108, 110, 146, 158

D

Da cor do pecado (telenovela), 165
Dale, Lennie, 71, 75
"Deixa chover" (canção), 93
Dener, 46, 62
"Dentro de mim mora um anjo" (canção), 169
Depósito de Presas São Judas Tadeu (Dops do Rio de Janeiro), 54
Desfile (revista), 43
Diadema (SP), 105
Diamantina (MG), 83-4
Diegues, Cacá, 66, 83
Dimmy Kieer (drag queen), 100
Dinamarca, 140
Discoteca do Chacrinha (programa de TV), 91, 112
ditadura militar (1964-85), 17, 42-3, 49, 53-4, 57, 60, 78-9, 115
dívidas de Elke, 162, 165, 170, 176
Dolabella, Dado, 166
Domiciano, Maurílio, 169, 171
Domingão do Faustão (programa de TV), 78
Dops (Delegacia de Ordem Política e Social), 42, 52, 54, 58-60
Dostoiévski, Fiódor, 36
Dourado, Marcelo, 165
drag queens, 96, 99-100
drogas, 144
Drummond de Andrade, Carlos, 22, 183
Duarte, Regina, 48
Duratex, 63
Dzi Croquettes, 73-5

E

"É de chocolate" (canção), 94
Edifício Baronesa de Arary (São Paulo), 122, 147-51, *150*, 162
Edilma (Rainha do Palmeiras), 79
Editora Abril, 48
Elaine Cristina, 77
Ele & Ela (revista), 43
Electra (gata de Elke), 160
Elis Regina, 72, 93
Elke Maravilha, 29, *51*, *59*, *69*, *85*, *98*, *129-36*, *142*, *150*, *162*; abortos de, 12, 37, 42; acervo de Elke e projeto de museu, 176-7; acusada de LGBTQfobia, 163; alcoolismo de, 7, 12, 109, 140-3; aniversário de 71 anos de Elke (2016), 172-3; apartamento da família no Edifício Baronesa de Arary (São Paulo), 122, 147-51, *150*, 162; bazar póstumo de peças de, 176; biografia não autorizada (*Melissa*), 34, 37-8, 42, 177; café apreciado por, 143; carreira televisiva de, 64; casamento com Alexandros Evremidis (1969), 40-1; casamento gay celebrado no programa *Elke* (1993), 154-5; *causos* contados por, 7, 15, 72, 128, 178; cenas de nudez de, 82; certidão de nascimento de Elke, 15, *16*; cirurgias plásticas de, 143; como apátrida, 12, 58-9; como atriz, 12, 31-2, 50, 66-7, 76-8, 81-9, 105-6, 119-20; como cantora, 12, 113, 166, 168-9, 177;

Elke Maravilha (*continuação*), como drag queen, 96; como Elke Evremidis, 12, 40, 46, 50, 58; como embaixadora do programa do Chacrinha, 115; como Ilga nos registros oficiais, 19; como jurada de programas de TV, 51, 61-70, *69*, 76, 78, 81, 94, 98, 103-4, 107, 112-4, 118, 120, 125, 127-8, 152, 159, 164-5, 180; como Melissa Vassiliki (na Grécia), 12, 37; como modelo, 12, 29-32, *29*, 43-9, 63-4, 81, *129-31*, 179; como poliglota, 7, 9, 12, 23, 30, 33, 40, 42, 76-7, 140; como professora de línguas, 12, 42; como tradutora e intérprete, 40, 42; como vencedora do Glamour Girl (1962), 30; "descer o Grünupp" em, 109; desempregada aos 51 anos, 160; dívidas de, 162, 165, 170, 176; drogas consumidas por, 144; em "O grande plano" (quadro do *Fantástico*), 173; entrevistada por Clarice Lispector, 85-6; estética Elke, 96; evitando computadores, 170; filme de 1978 (*Elke Maravilha contra o Homem Atômico*), 87-8; gatos de, 160, 173-4; imigração para o Brasil, 19; kaftans (túnicas) de, 98-9; linha de cosméticos de, 116, 162, 170, 177; menopausa e libido de, 166; mito de origem de, 8-9, 17; morte (16 de agosto de 2016), 8, 174, 180; na faculdade de filosofia, 42-3; na faculdade de letras clássicas, 40; na faculdade de medicina (1964), 33; nascimento (22 de fevereiro de 1945), 15; no

Big Brother Brasil 4 (2004), 165; no concurso de Rainha Brasileira do Café (1962), 31; operação no fêmur (1996), 163; palestras gratuitas de Elke em universidades, 161-2; passaporte alemão de, 60; perucas e penteados de, 96-100, *98*, 114, 152-3; presa pela ditadura (1972), 17, 49, 51, 54-60; primeiro contato com uma pessoa negra, 23; primeiro emprego como assistente de bibliotecária, 27; primeiro namorado (Boris Feldman), 30, 137; problemas de saúde de, 143-4, 161, 163, 171-4; propagandas e merchandisings de, 63, 115, 160, 173-4, 176; Rapaz (cavalo de infância de Elke), 23; relação com os fãs, 183; retrospectiva de fotos da carreira (Caixa Cultural, 1997), 163; RG de, *59*; salários, cachês e finanças de, 12, 66, 78-9, 103, 107, 115, 125, 159, 160, 162-3, 165, 170; sapatos e botas de, 79, 96, 98-9, 152-5, 177, 179; sem documentos depois da prisão, 58-60; shows de, 72-4, 94, 104, 107-9, 113, 116-7, 160, 162, 166, 168-9, 174, 177; site na internet, 170; sobre a morte, 85-6, 173; sobre o poder, 144; sobre o sono e a morte, 173; sobre origens pagãs do Natal, 178; sobrenome artístico (Maravilha) adotado por, 67; tabagismo de, 44, 77, 112, 140, 143; *talk show* no SBT, 151-6, 160; tentativa de estupro contra, 83; úlcera de, 143, 172-4; vencedora do prêmio de Melhor

Jurado (Troféu Imprensa, 1991-3), 128; viagem à Europa (1965), 34; viagens à Europa e aos EUA, 139-40
Elke (maltês de Breno Beauty), 175
Elke (*talk show* no SBT), 151-6, 160
Elke canta e conta (show), 169
Elke do sagrado ao profano (show), 166, 169
Elke Maravilha contra o Homem Atômico (filme), 87-8
Elke no País das Maravilhas (documentário), 161
Embrafilme, 90
Emerald Hill (boate de São Bernardo do Campo), 116-7
Engster, Marcelo, 88
Erasmo Carlos, 95
Eslovênia, 167
ESPN (Entertainment and Sports Programming Network), 60
Estado de Minas (jornal), 28
Estados Unidos, 31, 139
estética Elke, 96
"Estrelar" (canção), 113
Estrelas (programa de TV), 93
Europa, 17-8, 21, 34-5, 37, 39-41, 45, 58, 62, 74, 88, 139, 141, 143, 167
Evinha (empregada de Elke), 170, 173, 176
Evremidis, Alexandros, 34-40, 42-3, 45, 47, 57-8, 61, 64, 177
Evremidis, Dimitris, 34
Evremidis, Sókratis, 34
Extra (jornal), 163

F

Fábio Jr., 112
Faculdade Cásper Líbero (São Paulo), 161
Faculdade de Medicina da Universidade Federal do Rio Grande do Sul, 33
Fagner, 95
Falso brilhante (show de Elis Regina), 93
Fantástico (programa de TV), 102, 109, 174
Fasano, Victor, 117
Fatos e Fotos (revista), 43, 77, 85
Faustão (Fausto Silva), 65, 78
Febem (Fundação Estadual para o Bem Estar do Menor), 105
feirinha hippie de Ipanema, 72
Feldman, Boris, 30, 137, 140
Feodorova, Eugenia, 71
Fernandes, Leonel, 180
ferro em MG, exploração de, 21-2
Festa da Uva de Caxias do Sul (1972), 64
Festival de Música Popular Brasileira (1980), 95
Figueiredo, Dulce, 126
Figueiredo, João Batista, 59, 126
Finlândia, 14
Fisk (escola de inglês), 30
Flor (jurada do SBT), 126
Fofão (personagem infantil), 11
Folha de S.Paulo (jornal), 8, 38, 151, 175
Fomin, Boris, 127
Força de Xangô, A (filme), 81-2
França, 14, 17-8, 32, 122, 177
Fred's (boate carioca), 72
Freiburg (Alemanha), 13-4
"Frères Jacques, Les" (canção), 74
fumante, Elke como *ver* tabagismo de Elke
Fundição Progresso (Rio de Janeiro), 75

G

Gadelha, Glória, 154
Galeria Olido (São Paulo), 169
Garcia, Ton, 142, 169, 177
gatos de Elke, 160, 173-4
Gaya, Cláudio, 73
Geisel, Ernesto, 79
General Motors, 139
Gênova, 34
Gil, Gilberto, 95
"Gira roda" (canção), 113
Glamour Girl (concurso de beleza), 12, 28-30, 43-4, 137
Globo, O (jornal), 32, 67, 89
Globo, Rede, 51, 61, 63, 66, 68-70, 76, 78, 93, 102-3, 110-1, 116, 118-9, 121, 124, 143, 154-5, 165
Glória Maria, *162*
Golden Room (Copacabana Palace), 44
Gomes, Pepeu, 115
Gonçalves, Dercy, 164
Goulart, Flavio de Andrade, 139
Grand Canyon (EUA), 139
grand jeté, 110
Grande Otelo, 50-4, *51*, 82
"Grande plano, O" (quadro do *Fantástico*), 173
Grécia, 34, 37, 40, 92, 140-1
Grünupp, Cornelius Frederico (Fred, irmão de Elke), 27, 170, 173, 176
Grünupp, Elke *ver* Elke Maravilha
Grünupp, família, 17-9, 22, 25-6, 28, 39, 62, 122, 139, 148-51
Grünupp, Francisca (irmã de Elke), 23, 25-7, 33, 37, 39-40, 122, 137, 164, 177
Grünupp, Francisco (irmão de Elke), 27, 122
Grünupp, George (pai de Elke), 13-5, 17-8, 19-23, *20*, 25-7, 37, 39, 42, 62, 109, 122-3, 139, 148-9, 177
Grünupp, Gregório (irmão de Elke), 23, 122, 151
Grünupp, Jorge (irmão de Elke), 9, 17
Grünupp, Liezelotte von Sonden (mãe de Elke), 13-19, *20*, 23, 28-30, 37, 39, 122, 163
Grünupp, Waldemar (irmão de Elke), 109, 122
Guarapuava (PR), 109
Guarda-costas, O (filme), 146
Guarujá (SP), 137
Guerra dos Sexos (programa de TV), 118
Guevara, Che, 33
Guimarães, Guilherme, 44-7, 97
gulag, 14, 17

H

Hair (musical), 71
Henriques, Ana Lúcia Amado, 31
Herchcovitch, Alexandre, 9
Hernandes, Clodovil *ver* Clodovil
Hitler, Adolf, 15
HIV/aids, 94, 114, 153
Hollywood, 32
hospedarias para imigrantes, 21
Hotel Pelourinho (Salvador), 81, 83
Houston, Whitney, 146
Huck, Luciano, 65

I

Iate Tênis Club (Belo Horizonte), 29
Iemanjá (orixá), 97
Igreja católica, 25
Ilha das Flores (RJ), 19-22, 24

Império da Casa Verde (escola de samba), 179
Império Serrano (escola de samba), 120
"In den Kasernen" (canção), 166
Índia, 62
"Insônia Night Club" (canção), 169
Instituto Cultural Brasil-Estados Unidos, 30
Instituto Nacional de Cinema (Rio de Janeiro), 84
inTerValo 2000 (revista), 48
Ipanema (Rio de Janeiro), 48, 58, 72
IstoÉ Gente (revista), 155
Itabira (MG), 22, 122-3, 183
Itajubá (MG), 26
Itália, 34, 118
Itaquera (São Paulo), 149-50

J

Jaguar (cartunista), 143
Jambert (cabelereiro), 48
Jane, Jessie, 57
Jardim Botânico (Rio de Janeiro), 111
Jardins (São Paulo), 98
Jassa (cabeleireiro), 156
Jô Soares Onze e Meia (programa de TV), 164
Jobim, Tom, 143
Johnson, Eri, 165
Joia rara (disco de Elke), 113
"Joia rara" (canção), 113
Jones, Jim, 30
Jorge Ben Jor, 79, 95
Jornal do Brasil, 78, 91
Jornal Nacional (telejornal), 15, 175
jornalistas, 60, 126
Juiz de Fora (MG), 166
"Juju" (canção), 113

jurada de programas de TV, Elke como, 51, 61-70, 69, 76, 78, 81, 94, 98, 103-4, 107, 112-4, 118, 120, 125, 127-8, 152, 159, 164-5, 180
Justiça do Povo (programa de rádio), 67

K

kaftans (túnicas) de Elke, 98-9
Kalunga (gato de Elke), 160, 173
Ken-gá Bitchwear (marca de roupas), 178
Kid Vinil, 11
Klabin, Beki, 62
Kléber, João, 120, 124
Krähenbühl, Lair, 149
Ksyvickis, Angélica *ver* Angélica (apresentadora)

L

Labirinthus Lounge Mix (Bauru, SP), 168
Lady Hilda, 54
Lafond, Jorge, 153
Lancelotti, Júlio, padre, 153
Lara, Odete, 77
Lara, Pedro de, 67-9, 88, 107, 112, 125-8
Laroche, Guy, 44
Latorraca, Ney, 119
Lazzuri, Roberto (Beto), 116-8
Le Havre (França), 18
Leão, Danuza, 45
Leão, Nara, 66
Lei de Segurança Nacional, 54
Leite, Vera Barreto, 45
Leme (Rio de Janeiro), 7-8, 11, 75, 85-6, 116, 138, 145-6, 158, 161-2, 164-5, 176

Leningrado, 15, 17, 140, 183; *ver também* São Petersburgo
Leonete, 113
Letônia, 17
Leutkirch (Alemanha), 9, 15, 35
LGBTQ, movimento, 163-4, 173
Lima, Otto Augusto de, 137
Lima, Sônia, 127
Liniker, 173
Lins, Maria, 31
Liquigás, 28, 34, 122
Lispector, Clarice, 8, 85-6
Lobo, Leão, 127, 164, 168, 173
Lombardi, Bruna, 119
Londrina (PR), 31
Londrina Country Club, 31
Lopes, Paulo, 156
Loran, Berta, 173
Lorenzo, Isabel Maria de, 31
Love Slaves of the Amazon (filme), 32
LSD, 144
Luis Gustavo, 76, 77

M

machismo, 163-4
maçonaria, 26, 123
maconha, 90, 115, 144
"Madrugada tropical" (canção), 95
Maia, Tim, 115
Maluf, Paulo, 149-51
Manchete (revista), 32, 43, 86, 98, 120, *131*
Mandrix (medicamento), 144
Manizales (Colômbia), 31
manual de conduta para a programação do SBT, 155
"Marcha da zebra" (canção), 113
Maria Bethânia, 66
Maria do Céu (amiga de Elke), 171
Marília Gabriela, 42, 144

Martinho da Vila, 82, 91
Marx, Karl, 56
Marx, Patricia, 93-4
Más, Daniel, 67
Matos, Rony, 99
Mauro, Humberto, 89
Mavrodendri (Grécia), 37
Mayrink Veiga, Carmen, 44
Melhor Jurado, prêmio de (Troféu Imprensa), 128
Melissa (Evremidis), 34-8, 177
Memórias de um gigolô (minissérie de TV), 119
Meneguelli, Sérgio, 175, 177
Menezes, Glória, 112
menopausa e libido de Elke, 166
metaqualona (sedativo), 144
Michelet, Helen Mara, 93
Minas Gerais, 21-29, 32, 48, 66, 83, 90-1, 97, 137-8, 141, 183
Minelli, Liza, 74
Mistério de Irma Vap, O (peça teatral), 119
mito de origem de Elke, 8-9, 17
modelo, Elke como, 12, 29-32, *29*, 43-9, 63-4, 81, *129-31*, 179
Moinhos de Vento (Porto Alegre), 39
Monroe, Marilyn, 48
Montagner, Domingos, 11
Monteiro, Denilson, 69, 79
Montenegro, Fernanda, 119
Montini, Marina, 97
Moraes, Amynthas Jacques de, 21-4
Moraes, Rafael Jacques de, 21-2
Moraes, Vitor Jacques de, 22
Morais, Antônio Ermírio de, 164-5
morango no Brasil, cultivo de, 26
Moretti, Celso Luiz, 26
morte de Elke (16 de agosto de 2016), 174, 180
Motta, Zezé, 8, 81, 83-4, 86, 146

Movimento dos Trabalhadores Sem Teto, 125
MPB, 95
Mufre, Carlos, 149
Mulher Maravilha (audiossérie), 9
Museu de Arte Contemporânea de São Paulo, 178

N

Nally Picumã (drag queen), 99
nascimento de Elke (22 de fevereiro de 1945), 15
Nasha (empresa de cosméticos), 116
nazismo, 15, 37
Nelson Rubens, 126
Neves, Breno *ver* Breno Beauty
New Orleans, 139
Niemeyer, Oscar, 29
Niterói (RJ), 72
Nóbrega, Carlos Alberto de, 153
Noiva da cidade, A (filme), 88-90
Noronha (delegado), 54
Nova York, 49, 72, 144
Nova Zelândia, 18
Novo Show de Calouros (programa de TV), 156
Nunes, Clara, 112

O

"Ói nóis aqui" (canção), 94
Oliosi, José, 83
Oliveira, Andréa Vasconcelos de, 31
Oliveira, Hilda Ribeiro de, 54
ONU (Organização das Nações Unidas), 58
Osasco (SP), 125

P

Pais&Filhos (revista), 43
Paleikat, Maria Ivone Catharina, 40
palestras gratuitas de Elke em universidades, 161-2
Palomino, Erika, 96
Paraná, 31, 66, 108
Paris, 59, 73-4, 99
Partido Nazista, 37
Pastoral da Criança, 153
"Pato, O" (canção), 72
Pecado capital (telenovela), 163
Pellegrino, Hélio, 86
Pena Branca & Xavantinho, 56
Pêra, Marília, 105
Pereira, Gilvan, 87-8
Pernambuco, 67
Perry Manson (série de TV), 32
perucas e penteados de Elke, 96-100, 98, 114, 152-3
Pessini, Orival, 11
Petraglia, Mário, 87
Piazzolla, Astor, 110
Piccinini, Décio, 126
Piovani, Luana, 165-6
Pires, Fernando, 98
Pixote: A lei do mais fraco (filme de 1980), 105-6
Pixote in memoriam (documentário de 2007), 105
playback, canções em, 113
Plínio Marcos, 77
poder, Elke sobre o, 144
Podrevski, Konstantin, 127
Polícia Militar, 106
"Por cima dos aviões" (canção), 95
Porto Alegre (RS), 8, 33, 41, 62
Porto Velho (RO), 102
Portugal, 35, 74
Poupança Premiada Haspa (promoção), 116

Poveza, Danilo, 180
Povo, O (jornal), 77, 122
Praça é Nossa, A (programa de TV), 7, 153
Praia Clube São Francisco (Niterói), 72
Presley, Elvis, 27
prisão de Elke (1972), 17, 49, 51, 54-60
professora de línguas, Elke como, 12, 42
Programa Amaury Jr. (programa de TV), 178
Programa Cor-de-Rosa (programa de TV), 155
Programa Silvio Santos (programa de TV), 50, 78, 124
Projac (Rede Globo), 111
propagandas e merchandisings de Elke, 63, 115, 160, 173-4, 176
"Psicopata" (namorado de Elke em 1993), 145-7

Q

Quando o Carnaval chegar (filme), 66
"Que vontade de comer goiaba" (canção), 113
quimbanda, 160

R

Rainha Brasileira do Café (concurso de 1962), 31
Ramos, Fernando, 105-6
Rapaz (cavalo de infância de Elke), 23
Realidade (revista), 48
Recife (PE), 169, 171
Record, Rede, 79, 91, 102, 124, 170
Reis, Nando, 165

Reis, Tássia, 173
Reis, Valeska, 179
Resende, José Venâncio de, 148
retrospectiva de fotos da carreira de Elke (Caixa Cultural, 1997), 163
Revolução Russa (1917), 13, 17
RG de Elke, 59
Ribeiro, Wagner, 72, 74
Riga (Letônia), 17
Rio de Janeiro (RJ), 27, 32, 41, 54, 67, 111, 138, 147, 169-70, 174, 176
Rio de Janeiro, estado do, 31, 66
Rio Grande do Sul, 39-40, 108
Rio, Carnaval e amor (disco de 1973), 113
Rita Cadillac, 80, 92, 102-3, 170
Roberto Carlos, 101, 112, 115
Robin Hood, o trapalhão da floresta (filme), 87
rock 'n' roll, 27, 65
Rodrigues, Pepita, 77
Rodrigues, Roberto de, 73-4
Rogê, 113
Rogéria, 164
Rolier, Mariana, 8
Roma, 76
Rondônia, 102
RPM (banda), 154
Rua Elke Maravilha (Rio de Janeiro), 11
Rubão (Rubens Sabino da Silva), 94-5
Rússia, 13-4, 17, 21, 25, 43, 140-1, 169; *ver também* Leningrado; São Petersburgo
Russo (assistente de palco), 65-6, 115
Ruys (navio), 34

S

Sá, Michele, 159
Sagrada Luz (Pedro de Lara), 67

Saint-Denis (Paris), 99
Salles, Arlete, 97
Saltimbancos trapalhões, Os (filme), 88, 94
Salvador (BA), 81
samba, 92, 113, 120
Sampaio, Marcelo Felipe, 105
Santa Catarina, 21, 108
Santa Cecília (São Paulo), 103
Santana, Edson, 112, 114
Santista (tecelagem), 63
Santo André (SP), 92
Santos (SP), 34
Santos, Pedro Ferreira dos *ver* Lara, Pedro de
Santos, Silvio, 12, 50, 51, 53-4, 78-9, 100, 112, 124-6, 128, 150, 152, 154-6, 159-60
São João del-Rei (MG), 8, 97, 172, 175
São José dos Campos (SP), 177
São José dos Pinhais (PR), 108
São Paulo (SP), 32, 50, 53, 92-3, 100, 103, 105, 145, 147, 157-8, 161, 163, 168-70, 176, 178, 181
São Paulo, estado de, 8, 24-7, 31, 66, 139, 168
São Petersburgo, 9, 15, 36, 140
sapatos e botas de Elke, 79, 96, 98-9, 152-5, 177, 179
Sasha Altai (último marido de Elke), 141, 157-62, 166-7, 169-70
SBT (Sistema Brasileiro de Televisão), 100, 125, 128, 138, 150-2, 154-8, 160, 165, 170
Schwarzenegger (gato de Elke), 160
Sci-Fi Brasil (mostra de filmes), 88
Segunda Guerra Mundial, 9, 13-5, 19, 123
Seixas, Raul, 114, 175
Sérgio Mallandro, 126
Serra Pelada (PA), 151, 170
Serrano, Louis, 31-2

Sétimo Céu (revista), 95
"Seu melhor amigo" (canção), 112
Sfat, Dina, 89
Show de Calouros (programa de TV), 128, 157-60
Showçaite (baile em Belo Horizonte), 29
shows de Elke, 72-4, 94, 104, 107-9, 113, 116-7, 160, 162, 166, 168-9, 174, 177
Sibéria, 13-4, 57
siderúrgicas, 21
Silva, João, 90
Silvinho (cabelereiro), 48, 58, 63, 97-8, *98*, 109
Silvino, Paulo, 118
site de Elke na internet, 170
Sivuca, 154
Sócrates, 56
Sodré, Teresa, 77
Somi (farinha alimentícia), 23
Sonden, Liezelotte von (mãe de Elke) *ver* Grünupp, Liezelotte von Sonden
Sonhos (programa de rádio), 67
Soriano, Waldick, 62, 164
SOS da ribalta (show de Elke Maravilha), 107
Souza, Ismê de, 166
Stálin, Ióssif, 15
Stycer, Mauricio, 78, 124, 126
Suíça, 34-5, 43, 45

T

tabagismo de Elke, 44, 77, 112, 140, 143
Talarico, José Gomes, 53
Tarado Ni Você (bloco carnavalesco), 180
Taylor, Elizabeth, 72
Teatro Bandeirantes (São Paulo), 92

Teatro Carlos Gomes (Rio de Janeiro), 174
Teatro Fênix (Rio de Janeiro), 61, 111, 115
Teatro Oficina (São Paulo), 150, 170
Teatro Silvio Santos (São Paulo), 125
televisão a cores no Brasil (1972), 64
Theatro Municipal do Rio de Janeiro, 71, 79
Tia (empregada de Elke), 145
Titãs (banda), 112, 169
Toledo, Ary, 78
Toledo, Fátima, 105-6
Tonelli, Bayard, 73
Topa tudo por dinheiro (Stycer), 78-9, 124, 126
tortura, 17, 57
tradutora e intérprete, Elke como, 40, 42
Trapalhões na Serra Pelada, Os (filme), 88
Trapalhões, Os, 87
Tratado de Moscou (1940), 14
Trem da Alegria (conjunto musical infantil), 94
"Trem tá feio, O" (canção), 56
Tribunal do Lara (programa de rádio), 67
Troféu Imprensa, 128
tuk-tuk (riquixá asiático), 62
Tupi (TV), 70, 76-80, 91, 102

U

úlcera de Elke, 143, 172-4
União Soviética, 14, 17; *ver também* Rússia
Universidade Federal de Minas Gerais, 137
Universidade Federal do Rio Grande do Sul, 33

V

"Vaca profana" (canção), 180
Valadão, Jece, 86
Vale, rompimento barragem da (Brumadinho, 2019), 138
Valentino (estilista), 74
Valle, Marcos, 113
Veja (revista), 40, 67, 69, 87
"Velho Guerreiro" (canção), 95
Veloso, Caetano, 95, 181
Vera Verão (personagem), 153
Verinha (ajudante de Silvinho), 58
Veruschka (modelo), 74-5
Viany, Alex, 89
Vídeo Show (programa de TV), 155
vikings, 15, 178-9
Villa-Lobos, Heitor, 169
Virada Cultural (São Paulo), 169
Vittar, Pabllo, 9, 178
Viváqua, Mônica, 31
Voice, The (programa de TV), 112
Volta de Beto Rockfeller, A (telenovela), 76
Volta Grande (MG), 89-90

X

X Factor, The (programa de TV), 112
Xica da Silva (filme), 66, 83, 90
Xuxa (Meneghel), 65, 121

Y

"Years of Solitude" (canção), 110

Z

Zé da Kalunga (entidade da quimbanda), 160
Zurique, 34-5, 37

Créditos das imagens

p.16: Arquivo pessoal do autor
p. 20: MyHeritage Ltd.
p. 29: Fotógrafo desconhecido/ Arquivo Francisca Grünupp
p. 51: Elke e Grande Otelo. Fotógrafo desconhecido/ Arquivo Nacional/ Fundo Correio da Manhã
pp. 55 e 59: Documentos revelados
p. 69: Arquivo/ Estadão Conteúdo
p. 85: Arquivo Aparecida Maria Nunes
p. 98: Elke Maravilha e Silvinho. Arquivo/ Estadão Conteúdo
pp. 129 (década de 1970) e 130 [abaixo] (1975): David Zingg/ Instituto Moreira Salles
p. 130 [acima] (1970): Evandro Teixeira/ Cpdoc JB
p. 131 (1963): Revista Manchete/ Acervo Fundação Biblioteca Nacional — Brasil
p. 132 (1972): Rubens Seixas/ Agência O Globo
p. 133: Adhemar Veneziano/ Abril Comunicações S.A.
p. 134 (1981): Anibal Philot/ Agência O Globo
p. 135 (1983): Madalena Schwartz/ Instituto Moreira Salles
p. 136 (2014): Zô Guimarães/ Folhapress
p. 142: Elke em evento com o empresário Ricardo Amaral em 1991. Arquivo/ Estadão Conteúdo
p. 150 (1993): Epitácio Pessoa/ Estadão Conteúdo
p. 162: Glória Maria e Elke Maravilha no Fashion Rio de 2004. Fabio Rossi/ Agência O Globo

Todos os esforços foram feitos para encontrar os detentores de direitos autorais das fotos incluídas neste livro. Em caso de eventual omissão, a Todavia terá prazer em corrigi-la em edições futuras.

© Chico Felitti, 2020
Publicado originalmente como uma série original Storytel.

Todos os direitos desta edição reservados à Todavia.

Grafia atualizada segundo o Acordo Ortográfico da Língua Portuguesa de 1990, que entrou em vigor no Brasil em 2009.

capa
adaptação da capa original de Angelo Bottino para a Storytel
foto de capa
David Zingg/ Instituto Moreira Salles
tratamento de imagens
Carlos Mesquita
pesquisa iconográfica
Ana Laura Souza
preparação
Silvia Massimini Felix
checagem
Érico Melo
índice remissivo
Luciano Marchiori
revisão
Erika Nogueira Vieira
Tomoe Moroizumi

Dados Internacionais de Catalogação na Publicação (CIP)

Felitti, Chico (1986-)
Elke : Mulher Maravilha / Chico Felitti. — 1. ed. — São Paulo : Todavia, 2021.

Inclui índice.
ISBN 978-65-5692-202-7

1. Perfil biográfico. I. Maravilha, Elke. II. Título.

CDD 928

Índice para catálogo sistemático:
1. Perfil biográfico 928

Bruna Heller — Bibliotecária — CRB 10/2348

todavia
Rua Luís Anhaia, 44
05433.020 São Paulo SP
T. 55 11. 3094 0500
www.todavialivros.com.br

fonte
Register*
papel
Pólen soft 80 g/m²
impressão
Geográfica